12, AVENUE D'ITALIE. PARIS XIIIe

Sur l'auteur

Né en 1979, Michaël Mention est romancier et scénariste. Passionné de rock et d'histoire, il accède à la reconnaissance avec *Sale temps pour le pays* (Grand Prix du roman noir français au Festival international de Beaune en 2013), *... Et Justice pour tous* (Prix Transfuge du meilleur espoir polar en 2015), tous deux parus dans la collection Rivages/noir, ainsi que *Jeudi Noir* aux éditions Ombres Noires.

MICHAËL MENTION

LA VOIX SECRÈTE

INÉDIT

Grands détectives

créé par Jean-Claude Zylberstein

Du même auteur

Le Rhume du pingouin, éditions du Rocher, 2008
Trilogie anglaise, éditions Payot-Rivages :
Sale temps pour le pays (Grand Prix de Beaune 2013, Prix d'Aubusson 2014)
Adieu demain (Prix Polars Pourpres 2014, Balai d'argent 2015)
... Et justice pour tous (Prix Transfuge meilleur espoir polar 2015)
Aigreurs de jeunesse, nouvelle, revue *813*, n° 115, avril 2013
Fils de Sam, éditions Ring, 2014
Jeudi noir, éditions Ombres Noires et J'ai Lu, 2014
Le Carnaval des hyènes, éditions Ombres Noires, 2015
Bienvenue à Cotton's Warwick, éditions Ombres Noires, 2016

© Éditions 10/18, Département d'Univers Poche, 2017.
ISBN 978-2-264-06878-1

Ce roman est inspiré de la vie de Pierre-François Lacenaire, célèbre poète et assassin du XIXe siècle. Certains faits et propos rapportés sont issus des œuvres suivantes : *Mémoires, révélations et poésies de Lacenaire écrits par lui-même à la Conciergerie* (éditions de Paris, Chez les marchands de nouveautés, 1836), *Lacenaire, l'assassin démythifié* (François Foucart, éditions Perrin, 1995), *Lacenaire* (film de Francis Girod, 1990), *Nouveau dictionnaire d'argot par un ex-chef de brigade sous M. Vidocq* (éditions de Paris, Chez les marchands de nouveautés, 1829), *Attentat du 28 juillet 1835, dépositions de témoins* (Imprimerie royale, 1836), *Mémoires de Canler, ancien chef du service de Sûreté* (F. Roy, libraire-éditeur, 1862), *Histoire du mouvement ouvrier* (Édouard Dolléans, Librairie Armand Colin, 1953), *Du silence à la parole, une histoire du droit du travail* (Jacques Le Goff, éditions L'Univers des normes, 2004), *Aux origines du mouvement ouvrier français* (Bernard H. Moss, éditions Belles Lettres, 1989) et *Sur l'homme et le développement de ses facultés* (Adolphe Quételet, Bachelier Imprimeur Libraire, 1835).

Pour Élodie et Charline,
mon soleil et ma lune.

« Écris avec du sang et tu apprendras que sang est esprit. »

Friedrich Nietzsche,
Ainsi parlait Zarathoustra (1883)

« Né pour être sauvage. »

Steppenwolf,
Born to Be Wild (1968)

9 janvier 1836,
Paris

Ils claquent. Ils claquent, les sabots, dans le néant brumeux. Sous l'escorte des gendarmes, le fourgon noir traverse les limbes, agitant les champs morts. Sa cavalcade ébranle le petit matin et effraie les corbeaux, qui s'évaporent dans le ciel. Arrivé à la barrière Saint-Jacques, le cocher au teint blafard tire sur les rênes. Hennissement des chevaux, crissement des roues, fureur du peuple :

« À mort ! »
« À mort, les assassins ! »
« Tuez-les ! »

Lentement, l'un des gendarmes s'approche du fourgon. Il déverrouille la porte, laissant entrer un maigre rayon de soleil qui me sépare d'Avril. Mon amant, mon complice. Les mains ferrées dans le dos, nous échangeons un silence couvert par les insultes. Livide, il me laisse sortir le premier. Je le fais avec prestance, foulant l'herbe cristallisée par le gel. Mon apparition excite la foule, venue en famille assister à notre fin. Tandis qu'Avril descend à son tour, je contemple la guillotine, fasciné.

Là-bas, officiers et ministres subissent l'hiver en silence. Parmi eux, des célébrités telles que l'abbé Montès, le sieur Desmarets et l'inspecteur Canler. Escorté par deux gendarmes, je fais tinter mes chaînes jusqu'à lui.

— Mon cher, c'est bien aimable à vous d'être venu !

Il lorgne avec dédain ma redingote, posée sur mes épaules. Il y voit une ultime provocation et il a raison. J'étais élégant à mon procès, pourquoi ne pas l'être pour mon exécution ? Crispé, Canler paraît également déçu. Sans doute espérait-il me voir terrifié à l'idée de gravir l'échafaud. Encore un qui n'a pas compris que je veux cette mort et ce, depuis toujours. Je reviens à la charge :

— M. Allard est-il là ?

Canler serre les dents et, des yeux, me désigne au loin son supérieur : Allard. Mon ami, le chef de la Sûreté. Lui et moi échangeons un regard mêlé de respect et de connivence. Je lui adresse un sourire auquel il ne répond pas. Sans doute la peine de me voir partir. Je reviens sur mes pas, rejoignant Avril.

— Adieu, mon brave.

— Adieu, mon vieux.

Nous nous appuyons l'un contre l'autre. Intense seconde, durant laquelle sa nuque humidifie ma joue de sa moiteur sale. Beaucoup sont choqués, dont Canler et l'abbé, qui baissent les yeux. Ils n'y voient qu'une accolade entre pédérastes, alors qu'il est question de fraternité.

Avril relève la tête, me dévisage une dernière fois, marche péniblement en direction de l'échafaud. Encouragés par la foule, deux gendarmes lui emboîtent le pas. L'abbé pose sa main sur mon épaule, m'invitant à ne pas regarder. Ce contact ravive ma haine anticléricale, qui ne m'a jamais quitté depuis ma scolarité. Il insiste, je résiste. Je veux regarder ce que je ne pourrai voir lorsque j'aurai la tête coincée. Desmarets me retourne de force, je deviens fauve.

Allard nous rejoint, sa canne à la main. Il me fixe de ses yeux bleus, couleur peine, et je consens à pivoter. Dans mon dos, les cris de la foule précèdent la chute du couperet. D'Allard, de Montès et des autres, je suis le seul à ne pas sursauter lors de la décapitation. Ça y est, Avril n'est plus. Un « Aaaaah !!! » collectif me signifie que sa tête est exhibée. Un soulagement m'envahit alors, celui de quitter cette France pathétique, indigne de ma personne. Un soupir, et je m'adresse à Allard :

— Je n'ai pas peur.

— Je sais, mon ami.

— Soyez heureux, vous et votre famille.

— Merci. Et vous, soyez en paix.

Un gendarme m'arrache à lui. Nous avançons, suivis par Desmarets et l'abbé, une bible entre ses mains. Mes pas se calquent sur les huées des anonymes. Moi, je regrette que tous ces gens ne sachent pas lire pour savoir combien je les méprise.

Au pied de l'échafaud, Desmarets me retire la redingote. Le froid fouette mon cou nu, où ma chemise a été soigneusement découpée pour faciliter l'œuvre du bourreau. Les gendarmes me tiennent par les bras, au cas où mes jambes lâcheraient sous la peur. Ne sentent-ils pas que je veux mourir ? Sans doute agissent-ils par habitude. Je gravis les marches avec une dignité qui, je le sais, sera démentie par la presse. Ah ! Je la vois déjà m'attribuer quelque repentance, pour démythifier le monstre qu'elle a créé.

Encore une marche, et je foule ma dernière estrade en ce bas monde. Devant moi, l'exécuteur, vêtu de noir. Et surtout, *ma* guillotine. Elle que j'attends depuis si longtemps et qui m'a inspiré ce « Dernier Chant », mon plus beau poème :

> *Salut à toi, ma belle fiancée,*
> *Qui dans tes bras vas m'enlacer bientôt !*
> *À toi ma dernière pensée,*
> *Je fus à toi dès le berceau.*

Quelle beauté, quelle grandeur ! Après tant d'années, nous voilà enfin réunis. Elle en a vu passer, des têtes : Louis XVI, Marie-Antoinette, Danton, la Gironde entière et j'en oublie. Les gendarmes m'appuient sur la planche, me sanglent, me font basculer. Ma tête s'encastre dans la lucarne, où le sang d'Avril me réchauffe le cou. Ma vie s'arrête, ma légende débute. Moi, Pierre-François Lacenaire, trente-cinq ans, rejeté par mes parents, broyé par les jésuites et écœuré par les riches, je suis heureux, que dis-je !, fier d'avoir été le premier dandy du crime.

Les secondes qu'il me reste me permettent de savourer ma revanche sur cette société arriérée. Elle qui a condamné mes crimes sans en saisir les raisons : misère, attentats, choléra… je n'ai été qu'un produit de mon époque, un fléau de plus. Hormis Allard, personne ne l'a compris. Surtout pas les Parisiens, qui ne sauront jamais tout ce que j'ai fait pour eux.

Tiens ? Les insultes ont cessé. Incapable de bouger, j'en déduis que le bourreau est sur le point d'actionner le levier. Il était temps. Impatient, je clos mes paupières, la lame s'abat et...

1

1er décembre 1835,
un mois plus tôt

… la tête de Madeleine, huit ans, roule sur le sol.

2

In-fer-nale.

La « machine infernale » est prête : vingt-cinq fusils sur un châssis incliné, comprenant chacun quatre chevrotines, deux balles et une autre coupée en quatre. Terrible arsenal aux canons reliés par une traînée de poudre, n'attendant que la haine pour sévir. Là, derrière cette fenêtre, au troisième étage de l'immeuble n° 50 du boulevard du Temple. Il est 7 h 30 et l'Histoire est en marche.

8 heures

Le soleil illumine déjà les rues, à la grande joie de Louis-Philippe. Rien de tel pour célébrer l'anniversaire de ses cinq ans de règne. Une fête populaire, durant laquelle il passera en revue la garde nationale et traversera Paris. Cette sortie, son épouse la redoute, craignant un nouvel attentat. Dans la cour, les tambours s'entraînent.

8 h 30

La reine a raison d'avoir peur. Hier, un marchand a informé la Sûreté d'une rumeur selon laquelle un piège serait tendu aux abords du Théâtre de l'Ambigu-Comique. Des agents ont fouillé le quartier Saint-Martin, mais n'ont rien trouvé, et pour cause : aucun n'a pensé à l'ancien Ambigu, sur le boulevard du Temple, désaffecté depuis son incendie.

9 heures

Thiers, le ministre de l'Intérieur, apprend cette rumeur à l'instant. Il quitte aussitôt son bureau, se rue dans sa calèche, presse le cocher d'accélérer. Arrivé aux Tuileries, il fuse à travers le palais et avertit le roi, sur le départ. Louis-Philippe refuse d'annuler sa sortie, et le cortège part enfin sous les roulements de tambours.

9 h 30

Le Pouvoir parade sous les yeux du peuple. Des milliers de gens, muets, subjugués face à tant de grâce. Le roi chevauche entouré de trois de ses fils, le prince de Joinville et les ducs d'Orléans et de Nemours. Derrière, la reine et son carrosse, Thiers, le maréchal Mortier, le duc de Broglie, ainsi que tout l'état-major.

10 heures

Le cortège poursuit sa progression. La foule, jusqu'ici réservée, se réveille. Acclamations de notables, venus honorer celui auquel ils doivent tant. Sur le trottoir d'en face, des miséreux se manifestent à leur tour. Applaudissements timides, empreints de peur face aux officiers armés. Et toujours ces tambours.

10 h 30

La chaleur, la ferveur s'intensifient au gré des arrondissements. On transpire sous les casques, les hauts-de-forme, les perruques. Sur son cheval, Louis-Philippe fait ce qu'il fait depuis plus d'une heure : il salue à droite, puis à gauche, remerciant ses complices et ses victimes.

11 heures

Au passage du cortège, certains chantent *La Parisienne* en hommage aux Trois Glorieuses. En réaction, des ouvriers entonnent *Ah ! Ça ira, ça ira !* Symbole contre symbole, le second étant un affront assumé. Un regard du roi, et la garde intervient. Les provocateurs sont aussitôt appréhendés, emportés loin des regards.

11 h 30

Autres acclamations, autres tensions. Enfants, parents, vieillards, tous s'agitent d'un trottoir à l'autre. Vivats et insultes s'entremêlent, traversés par un Louis-Philippe impassible. Le torse bombé et le sourire confiant, le monarque poursuit sa progression. Malgré la foule, de plus en plus enfiévrée. Et les tambours, survoltés.

Midi

À la vue du boulevard Saint-Martin, Thiers se crispe dans sa calèche. Tambours. Anxieux, il scrute les fenêtres et les toits. Tambours. À première vue, aucun tireur embusqué. Tambours, roulements, puis claquements. Le ministre frémit, avant de se ressaisir. Seulement des drapeaux agités par une brise.

Midi et demi

Le cortège s'engage sur le boulevard du Temple. Tambours. Les immeubles se succèdent jusqu'au jardin du café turc, en face du théâtre désaffecté. Tambours. Au troisième étage, le conspirateur caresse sa « machine infernale », puis sort une allumette de sa poche. Tambours. Au même moment, dehors, un officier se présente devant le roi. Celui-ci tourne la tête…

(Allumette)

… arrête son cheval…

(Étincelle)

… et se penche…

(Poudre)

… quand la fenêtre s'ouvre. Un cliquetis résonne, des pigeons prennent leur envol et les tambours se taisent. Après, plus rien. Rien qu'un silence surnaturel dans tout le quartier. Pleurs. Cris. Hurlements. Et tandis que la fumée se dissipe, des morts. Des morts par dizaines. Là, un garde. Ici, une femme. Plus loin, un général, deux ouvriers et le maréchal Mortier. Carnage où personnalités et anonymes, notables et indigents gisent dans le même sang, réunis au-delà de leurs classes sociales.

Quelque part, un cheval hennit et se cabre, blessé à l'encolure. Louis-Philippe tire sur les rênes, reprenant le contrôle, puis essuie son coude ensanglanté. Indemne, alors que tant d'autres ont succombé. Ses fils et trois gardes l'éloignent du boulevard, fendant un amoncellement de corps. L'un d'eux se relève. Sonné, l'homme balade son regard, de blessés en cadavres, et se fige. Horrifié à la vue d'une enfant. Cette fillette criblée de balles, dont la tête a été soufflée par les tirs. Traumatisé, l'homme hurle à la mort...

... et se réveille en sursaut, dans son lit. Haletant, il palpe son visage, ses habits transpirants. Même cauchemar, même obsession. Il se lève, traverse la pénombre, s'arrête devant le miroir. Là, il enfile son manteau noir. Puis sa cagoule, ses gants en cuir. Fixant son reflet, il lisse délicatement ses phalanges, emporte sa sacoche et sort de la chambre. La porte claque, et le 28 juillet redevient 2 décembre.

3

Dehors, le jour. En moi, la nuit. Brûlante et moite, telle une dame courtisée par mes soins.

Les paupières closes, il n'y a guère que mon imagination pour colorer l'abîme. Respirant grâce à deux tubes dans mes narines, j'attends que le plâtre fasse son affaire. Le professeur Dumoutier se décide à tirer sur le fil partageant mon visage. Étrange sensation suivie d'un craquement, qui ravive mon épiderme.

L'éminent phrénologue divise le plâtre, décollant le moulage de mon profil droit. Il le remet précieusement à son assistant, lui aussi coiffé à la Beethoven et affublé de lunettes. J'expire, rouvre les yeux : plafond moisi, murs perlés d'humidité, grille rouillée. Retour à mon cachot, au premier étage de la Conciergerie.

Dumoutier retire l'autre moitié du moulage, examine l'intérieur. Pff ! Après m'avoir tâté le crâne en quête de la « bosse du crime », le voilà qui cherche encore de quoi expliquer scientifiquement mes méfaits. Je retire les tubes de mes narines, balaie les dépôts de plâtre sur mon torse nu. Dumoutier, ravi :

— Bon M. Lacenaire ! Comme il a été patient !

— Avais-je le choix ?

— Heu… non.

— Par conséquent, j'ai fait preuve d'indulgence et non de patience.

Il m'adresse un sourire niais, tandis que son assistant me déplâtre les cheveux avec du jaune d'œuf. Moment déplaisant, au terme duquel il les rince, ainsi que mon visage – Brrrr ! – à l'eau froide. Il troque la bassine contre sa serviette, puis son peigne. Je le lui arrache et il frémit de peur que je m'en fasse une arme. Amusé, je coiffe mes cheveux en arrière, frise ma boucle sur la tempe droite, remets le peigne dans sa poche.

Le duo me regarde enfiler ma chemise blanche. Je la boutonne jusqu'au col, ajuste ma cravate bouffante, violette, et passe mon gilet gris. Dumoutier me tend une main gantée de ce cuir qui fait les hommes respectables ; une main que j'ignore.

— Monsieur Lacenaire, merci d'avoir servi la Science. Le peuple vous en sera reconnaissant.

— À moins que vous ne m'inventiez une prédisposition au crime.

— Allons ! Votre front témoigne d'une bienveillance dont je ferai état à l'Académie !

— Si vous le dites. Messieurs, le temps m'est compté et j'ai beaucoup à faire. Je ne sais plus où donner de la tête, avant que celle-ci ne me soit tranchée.

— Hum… Honorés d'avoir fait votre connaissance.

— Je sais.

Dumoutier presse son assistant de ranger leurs affaires. Je tape ma canne à deux reprises contre les barreaux. Chabrol, gros gardien aussi sympathique qu'inutile, se réveille sur sa chaise. Il grogne, à l'étroit dans son uniforme fermé par huit larges boutons. Le neuvième est tombé hier, lorsque ce bougre a expiré trop fort.

Il leur rouvre la grille. Après m'avoir salué, mes hôtes se retirent dans une solennité qui n'impressionne que Chabrol. Il referme derrière eux, mollement. À le voir ainsi chaque jour plus apathique, j'ai peine à croire qu'il fait partie de mes semblables. Encore un qui ne descend pas du singe, mais qui en est tombé. À chacun son évolution. Je m'examine dans le miroir, lissant ma fine moustache.

— Dumoutier ! Avant de sortir, soyez aimable de dire au directeur de me rendre visite.

— Bien sûr. Au revoir, monsieur Lacenaire.

— Adieu, monsieur le phrénologue.

Tandis qu'ils s'éloignent, je regarde par ma petite fenêtre. Entre les barreaux, la cour et ses détenus. Pour la plupart coupables, comme moi, mais la similitude s'arrête là. Parmi eux, beaucoup de républicains. Fichus *bouzingots*. Ils avaient tout conquis avec fougue et ont tout perdu par bêtise, alors tant pis pour eux.

Derrière la muraille, j'aperçois ce que certains nomment la liberté, ballet incessant de bourgeois et de miséreux. France, je te plains. Que tu sois aux mains de Louis XVI, de Napoléon, de Charles X ou aujourd'hui de Louis-Philippe, tes inégalités demeurent. La nausée qu'elles m'inspirent me renvoie à celle qui m'a conduit au crime : un dégoût de l'humanité trop pesant, dont je compte bien nourrir mes *Mémoires*.

Je songe à m'y atteler depuis mon incarcération, bien que leur finalité reste un mystère. Comment puis-je à la fois être rebuté par les miens et vouloir me faire entendre d'eux ? Ambivalence de l'écriture, où l'envie côtoie le besoin. Avec les femmes et le tabac, la plume est ce qui me manquera le plus lors du grand voyage. J'ai hâte, si hâte d'offrir ma nuque à dame Éternité ! J'y pense le jour, j'en rêve la nuit.

Aussi, puisque il me faut patienter, je n'ai qu'à débuter mes *Mémoires*. Je m'installe confortablement. Sur la table, la plume et l'encrier n'attendent que mon inspiration pour exister. Je bourre ma pipe, gratte une allumette contre le bureau. Le tabac imprègne ma moustache de sa senteur caramélisée, après quoi je saisis la première feuille de la pile. Je la dispose de manière qu'elle coïncide avec les rainures de la table. Je trempe ma plume et, dans un nuage, entame ma préface :

Cher Public,
Ta curiosité a été excitée à un si haut point par mes dernières étourderies, *tu t'es mis avec tant d'ardeur à la piste de la moindre circonstance qui présentât quelque rapport avec moi, qu'il y aurait maintenant plus que de l'ingratitude de ma part à ne pas te satisfaire.*

— M'sieu Lacenaire ? intervient Chabrol. Vous faites quoi ?

— Rien qui ne nécessite d'interrompre vos rêveries.

Il hausse les épaules, retourne à sa passivité. De mon côté, je règle mes comptes avec mes contemporains, à commencer par mes récents visiteurs :

*Je vois d'ici une nuée de phrénologues,
cranologues, physiologistes, anatomistes,
que sais-je ? tous oiseaux de proie vivant de
cadavres, se ruer sur le mien sans lui laisser
le temps de se refroidir. J'aurais bien voulu
m'éviter cette dernière corvée ; mais, comment
faire ? Je ne m'appartiens plus en ce moment ;
que sera-ce après ma mort ?*

Dans la cour résonne un vacarme de sabots et
de roues. Sans doute le fiacre de Dumoutier et son
assistant, partis « scientifiser » d'autres criminels.
Leur départ s'ajoute à la cacophonie de Paris entre
cris des marchands, croassement des vendeurs de
journaux, coups de feu lointains. Je tire sur ma
pipe et écris sans la moindre hésitation, comme
si ma plume était encrée d'évidence :

*Mais je veux être généreux en mourant, et,
pour éviter à l'école des dissertations à perte de
vue, et peut-être même (quoique je sois très peu
susceptible à cet égard) des réflexions imperti-
nentes sur les rapports de ma glande pinéale à
mon intelligence et des proéminences de mon
crâne à mes appétits brutaux, je me décide, moi,
bien vivant, sain de corps et d'esprit, à faire de
ma propre main mon autopsie et la dissection
de mon cerveau.*

— Vous m'avez demandé, Lacenaire ?
Je me retourne. Derrière la grille, Lebel, le
directeur. Un nabot, toujours affublé d'un haut-de-
forme. Il prétend le porter par élégance, j'affirme
que c'est pour cacher sa calvitie. En retrait,
Chabrol est figé dans un garde-à-vous grotesque

qui lui sied à merveille. Je me relève et, comme tous les jours, insulte mon hôte d'une révérence :

— Mon cher Lebel !

— Vous n'êtes pas mon seul pensionnaire, alors faites vite !

Lebel me hait, puisque je jouis d'un confort qui dénature sa prison. Contrairement à mes voisins, j'ai en effet le privilège d'avoir mes propres vêtements, un chandelier, une table, une chaise, un miroir, une bassine, une couverture et une banquette en guise de lit. Cela m'a été accordé par Allard, afin que je puisse recevoir ceux qui me sont chers et dont il fait partie. Quant à ces fruits, ce tabac et ce vin, c'est cet écrivain d'Arago qui me les a apportés. Cadeaux d'admirateur. Pour gagner mon amitié ? Peut-être. Pour se vanter de m'avoir côtoyé ? À coup sûr.

— Mon cher Lebel, donc, je souhaitais savoir qui je suis censé recevoir aujourd'hui.

— M. Arago à 11 heures, M. Reffay de Lusignan à 12, et en fin de journée, deux dames friandes de vos poèmes.

— Encore ? Ah, la la ! Et M. Allard ?

— Pas aujourd'hui.

— Dommage. Bah, cela me fera davantage de temps pour rédiger mes *Mémoires* !

Lebel serre les dents. Il est vrai que, depuis Louis-Philippe, les détenus peuvent obtenir de quoi écrire. Voilà l'un des rares bienfaits que l'on doit à ce Bourbon, qui se dit « roi des Français ». Il en a, du culot. D'autant qu'un règne n'a jamais autant divisé le pays et ce, jusqu'aux Tuileries. Alors que son camp se déchire entre libéraux et conservateurs, ses opposants sont multiples et armés. Beau merdier que tout cela.

Lebel se retire dans son couloir ponctué de cachots puants. Il ignore mes nombreux voisins qui, d'ordinaire bruyants, se taisent sur son passage. J'y vois les deux symboles de la France actuelle, suffisante et lâche. Deux notions qui m'ont toujours répugné et nourrissent à présent ma plume revancharde.

4

Paris, la royale. Paris, l'animale. Paris, l'opulente capitale. Douze arrondissements pour neuf cent mille habitants :

Deux cent mille indigents.

Trente mille filles publiques.

Quatre cent mille ouvriers.

À l'heure où certains regagnent les manufactures, d'autres attendent la fin, comme ici, rue de Sèvres. L'un des quartiers les plus sordides, mouroir à ciel ouvert, où la misère le dispute à la menace permanente. Jour et nuit grouillent en ces rues des infirmes, des enfants bossus de soumission et des mendiants si osseux qu'ils en sont devenus monstrueux. Tous déambulent dans ce cauchemar de puanteurs, plus infâmes les unes que les autres : urine, excréments, fumier, lait caillé, poisson macéré, chair gangrénée... atmosphère nauséabonde où les nouveau-nés suffoquent plusieurs jours avant de s'adapter, à l'image de ces gens, oubliés du Pouvoir.

Et parmi eux, un homme. Massif. Cagoulé.

Enveloppé dans un manteau noir, une sacoche entre ses mains gantées de cuir. Fantôme parmi d'autres, il traverse le brouhaha. Cacophonie de plaintes et de cris, où se distinguent des voix féminines. Une dizaine de prostituées, alignées sur le trottoir. Une à une, elles interpellent l'homme en noir. Il les ignore, bousculant les passants de ses épaules d'acier. L'un d'eux, un ivrogne : « Non, mais oh ! »

Il se fraye un passage jusqu'au colosse, qui se retourne brusquement et le fixe. Le soûlard blêmit, recule de terreur. L'homme en noir repart en direction de l'hospice des Incurables. Assis devant l'entrée, un manchot en haillons rogne un pigeon déplumé. Un survivant de Waterloo, connu dans le quartier sous le surnom de « La Débrouille ». Une nouvelle bouchée, et il se découvre face au visiteur.

— Heu… z'êtes qui ?

L'homme n'a pour seule réponse qu'un regard pénétrant. Il fixe La Débrouille, captivant toute son attention. Ensorcelé, le pouilleux récupère la sacoche tendue. Il l'ouvre et se lève aussitôt, sous le choc :

— Mais…

Il s'interrompt, étranglé par la main de cuir. L'homme lui murmure une courte phrase qui serpente jusqu'à son oreille droite. La Débrouille, tétanisé :

— N… non… je peux pas…

L'homme le retourne de force et lui indique le cadran solaire dominant l'hospice, sur lequel est écrit :

HEU MORTIS FORTASSE
TUÆ QUAM PROSPICIS HORA

Le latin, La Débrouille n'y comprend rien, mais ici, tout le monde connaît le sens de cette phrase : « Hélas, cette heure que tu regardes est peut-être celle de ta mort. »

5

De l'Enfer à l'Éden, d'une rue à une autre, celle de la Cité. Bien plus rassurante, à défaut d'être paisible. Ici, cela fait des semaines que des travailleurs cassent les pavés. Paris étant surpeuplé, le gouvernement a lancé des travaux de grande envergure. On réaménage l'espace et on expulse les pauvres, creusant le fossé entre l'Ouest aisé et l'Est populaire. Un clivage de plus dans cette France en crise, où les ouvriers étouffent entre la baisse de leur revenu et la hausse du prix du pain. D'où leur colère, chaque jour plus forte.

Étranger à cette tourmente, Pierre Allard traverse sereinement la rue. Canne, haut-de-forme, redingote noire, pantalon gris à sous-pieds. L'élégance d'un homme, la tenue d'une classe. Sa démarche assurée bonifie ses quarante-cinq ans, dont trois passés à la direction de la Sûreté. Il enjambe les gravats, dépasse les travailleurs…

— Bonjour, messieurs.

— Bon*ch*our.

… à l'accent germanique. D'anciens paysans ayant fui la famine ou des opposants à Frédéric-Guillaume de Prusse. Dans tous les cas, une main-d'œuvre bienvenue. Paris change. La France change. Le monde change. Depuis une quinzaine d'années, de plus en plus d'Européens partent pour l'Amérique et l'Australie. Un « Nouveau Monde » qui tente peu de Français, à l'image d'Allard. Il est né ici, il mourra ici.

— Bonjour, messieurs.

— Bonjou*l*.

Autre accent. Des Polonais, cette fois. Tous reconnaissent Allard, bien qu'il ne soit pas du quartier. Un coin coquet, qu'il habiterait s'il en avait les moyens. Pour l'instant, il vit, avec sa jeune épouse et leur nourrisson, dans une maison avec vue sur les rails de la future ligne Paris-Saint-Germain. Pour l'instant et pour toujours, puisqu'il ne sera jamais promu. La faute à son intégrité.

— Bonjour.

— Bonjour.

Là, c'était un couple de notables. Salutations distinguées, quelque peu surjouées. Allard traverse la rue, s'oriente vers l'hôtel du Bailliage du Palais. Le domicile du préfet de police, au cœur d'une somptueuse propriété.

Quelques minutes plus tard, un officier arpente le couloir pimpant de la préfecture. Le regard fixe, la main droite sur le manche de son sabre. Il s'arrête devant le bureau d'un jeune secrétaire. Quelques mots, et le second s'en va toc-toquer contre la porte. « Entrez ! » grogne une voix. Le secrétaire tourne la poignée, délicatement.

— Monsieur ?

— Mmm ?

— M. Allard est arrivé.

Le préfet Gisquet se redresse dans son fauteuil. Il abandonne son cigare dans le cendrier, posé sur une pile de *Charivari* et autres journaux satiriques. D'abord, lecture. Après, censure. L'activité première de celui que l'on surnomme « La Pieuvre ». Gisquet et ses nombreux tentacules : la police générale, la gendarmerie départementale, la Sûreté, les dépôts de mendicité, l'administration des prisons ou encore la surveillance des hôpitaux.

Le secrétaire se retire, cédant la place à Allard. Celui-ci referme derrière lui, change sa canne de main et ôte son haut-de-forme.

— Bonjour, monsieur le préfet.

— Prenez place.

Allard traverse la pièce luxueuse. Lustre de cristal, tapis persan et tableaux magnifiques, saisissants de réalisme. Il retire ses gants, s'assoit face à son supérieur, appuie sa canne contre le bureau. Là, entre le verre et la carafe de vin.

— Je vous écoute, monsieur le préfet.

Gisquet le fixe en caressant sa moustache grise, puis ramasse quelque chose à ses pieds. Une sacoche en cuir, qu'il pose sur son bureau. Intrigué, Allard approche ses mains et – clic ! – l'ouvre. Frisson. Palpitations. Malaise. Il croise ses jambes, nerveux, renverse sa canne et la récupère d'une main tremblante.

— M… mais…

— Reprenez-vous, Allard.

— Où…

— Elle m'a été livrée ici il y a une heure.

— « Livrée »… Il s'agit donc d'un message.

Son supérieur soupire lourdement en signe d'inquiétude. Qu'Allard soit bouleversé, d'accord, mais pas Gisquet. Pas l'organisateur du massacre des républicains de la rue Transnonain. Pas l'homme qui a ordonné la mort de tous les habitants de l'immeuble, enfants compris. Si lui est anxieux, alors oui, l'heure est grave. Allard, blême :

— Qui vous l'a livrée ?

— Un indigent, manchot, connu de l'hospice des Incurables. Un homme en noir l'aurait payé pour qu'il me remette cela.

— A-t-il décrit cet « homme en noir » ?

— Oui. Corpulent, cagoule, manteau noir et gants en cuir.

— Cet indigent connaissait-il le contenu du sac ?

— Il prétend que non, mais il y a fort à parier qu'il a déjà colporté la nouvelle. Les journaux ne tarderont pas à la relayer et ce sera le chaos.

— C'est déjà le chaos, monsieur le préfet.

— Pour qui me prenez-vous ? Je sais que Paris va mal ! Je le vois, l'entends et le lis chaque jour dans la presse, qui s'en sert pour me discréditer !

Allard acquiesce, informé de ces rumeurs persistantes depuis quatre ans. Gisquet aurait négocié une fourniture de fusils pour le Trésor public contre un énième pot-de-vin. Une aubaine pour les satiristes, le préfet incarnant le vrai pouvoir. Pas celui qui décide dans l'ombre, mais celui qui opère au grand jour avec balles et matraques.

— Allard ? À quoi pensez-vous ?

— À rien. Pour la presse, vous n'aurez qu'à démentir. Une fois de plus.

— Ce sera à vous de le faire.

— C'est que… j'enquête sur le dernier coup des républicains.

— Plus maintenant.

— Monsieur le préfet, leur attentat…

— Un parmi d'autres.

Allard n'insiste pas, sachant à quel point la « monarchie de Juillet » est en porte-à-faux. Depuis cinq ans, Louis-Philippe est la cible d'attentats organisés par les bonapartistes, les carlistes et les républicains. Le 28 juillet dernier, trois d'entre eux – Fieschi, Pépin et Morey – ont orchestré contre lui une action incroyablement meurtrière se soldant par dix-neuf morts et quarante-deux blessés.

— Allard, personne d'autre que vous n'est à même d'enquêter sur cette affaire.

— Si vous le dites.

— Votre modestie vous honore, mais vous êtes mon meilleur élément. Pour preuve, vous avez déjà compris une chose : ceci est un message. C'est pourquoi je vous charge d'élucider cette horreur.

— Sans doute une tentative d'intimidation de la part d'opposants.

— Lorsque l'on décapite une enfant et que l'on me livre sa tête, j'appelle cela une horreur et non une tentative d'intimidation.

Allard baisse les yeux, caresse le favori grisonnant sa joue droite. Le grattement insupporte Gisquet, autant que le son des mouches convoitant la sacoche. Il la referme, croise ses mains sur le bureau.

— Comment comptez-vous procéder ?

— Je vais envoyer Canler dans le VIIe.

— Qu'il soit discret. Je ne veux pas que cette affaire s'ébruite.

— Cela va de soi.

Allard remet ses gants, se lève et, du bout des doigts, saisit la sacoche. Nausée insoutenable. Il se contient, récupère sa canne, salue Gisquet de son haut-de-forme. Celui-ci se contente d'un hochement de tête. Le voyant marcher vers la porte, il l'interpelle :

— Allard !

— Oui, monsieur le préfet ?

— Vous savez comme moi que le pays vit des heures agitées. Si vous ne trouvez pas qui a coupé cette tête, les nôtres suivront.

6

Plus tard,
siège de la Sûreté

Clac !
Le manteau...
Clac !
... et les bottes...
Clac !
... résonnent dans le couloir. Démarche rigide,
à l'image de cet homme qui martèle plus qu'il
ne marche. L'inspecteur principal Louis Canler,
les poings serrés, longe une succession intermi-
nable de bureaux, dont le service de surveillance
des étrangers, toujours plus nombreux. Après les
Allemands, les Polonais et les Italiens, c'est aux
Belges de s'installer dans la capitale. Drôle de
peuple : il a rejeté l'emprise de Guillaume Iᵉʳ,
gagnant son indépendance, avant d'élire le duc
de Nemours, l'un des fils de Louis-Philippe,
puis Léopold de Saxe-Cobourg. Les révolutions
passent, les couronnes restent.

L'officier Paul Clouzot apparaît. L'un des vingt
et un inspecteurs de cette brigade d'élite créée par
Vidocq, dont le fantôme hante encore ces murs.

Clouzot allume une cigarette, avant d'apercevoir son supérieur.

— Bonjour, chef.

— On travaille dedans et on fume dehors ! Cela pue déjà suffisamment, ici !

Canler le dépasse, s'arrête devant une porte. Délabrée, elle trahit le discrédit du service malgré son rôle vital en ces temps de troubles. Il tape du poing à deux reprises.

— Entrez !

Canler tourne la poignée. Pièce spacieuse rendue carcérale par son unique fenêtre, où perce la lumière du matin. À gauche, une commode en pin. À droite, une armoire ankylosée de dossiers. Au centre, une chaise, puis un modeste bureau, et encore une chaise où se tient son supérieur. Allard et son visage grave, celui des mauvais jours. Sur le bureau, entre une théière et d'autres dossiers, un bocal recouvert d'une serviette attire l'attention de Canler. Il referme la porte, salue Allard de son haut-de-forme et, le torse bombé, croise les mains dans le dos.

— Alors ?

— Alors, quoi ?

— Vous allez me charger d'une affaire, alors j'écoute.

Canler, toujours prêt. Professionnel jusqu'à l'os, il inspire le respect à ses hommes et la crainte à ceux qu'il traque. À lui seul, il a classé les voleurs de Paris en dix catégories : haute pègre, « routiers » (pilleurs), « charrieurs » (escrocs), « vrilleurs » (cambrioleurs), « scionneurs » (agresseurs de nuit), « pégriots » (voleurs à l'étalage), « fourlineurs » (voleurs à la tire), « voleurs à la carre » (adeptes des bijoux), « voleurs à la détourne » (qui s'habillent de neuf dans les magasins) et « voleurs au bonjour » (qui s'infiltrent au domicile de leurs victimes). Qu'il s'agisse de vol, de crime ou d'attentat, Canler n'enquête pas, il chasse.

— Asseyez-vous, Canler.

— Inutile. Alors ?

Allard marque un temps d'arrêt. Il approche sa main du bocal et retire la serviette, révélant une tête flottant dans de l'alcool.

Yeux exorbités.
Joues veineuses.
Bouche ouverte en un cri silencieux.

Une frimousse déformée, comme celle de ces nourrissons repêchés chaque jour dans la Seine. Habitué au sordide, Canler ne manifeste aucune émotion ; alors que d'autres seraient choqués, lui ne songe déjà qu'à retrouver l'assassin.

Il lisse le cuir de ses gants entre ses phalanges, saisit le bocal des deux mains, examine le cou effroyablement mutilé. Découpage si barbare que la chair s'est retroussée en surplus violacé. Puis, ce cartilage et ce bulbe rachidien distendus. Mal à l'aise, Allard s'efforce de ne pas regarder. Canler, observant le visage de près :

— Dents pourries, peau crasseuse… une enfant miséreuse. Proie facile.

— Oui. Ceci a été livré à Gisquet, ce matin.

— Livré par qui ?

— Un manchot, habitué de l'hospice des Inc…

— Je le connais, on l'appelle La Débrouille.

— Qu'en savez-vous ?

— Je le sais, c'est tout.

— S'il s'avère que c'est lui, il prétend avoir été payé par un homme vêtu de noir.

— Allons donc. Vous le croyez ?

— C'est la seule piste dont nous disposons.

— Si je comprends bien, on arrête de surveiller les républicains.

— Nous continuons, mais cette affaire est notre priorité.

— Et une aubaine pour les amis de Fieschi, qui planifieront un autre coup.

— Ils utilisent la force car la République ne s'est pas imposée d'elle-même. Le pays n'est pas encore prêt, il ne l'a connue qu'avec la Terreur.

Canler bat des cils, lui signifiant son désaccord. Fieschi, il le connaît. Et cette République dont il se réclame est un prétexte pour assouvir sa soif de sang. Son heure viendra. Pour l'instant, il est toujours incarcéré à la Force, son exécution étant sans cesse retardée par Louis-Philippe qui craint qu'elle n'excite davantage ses opposants.

Canler repose le bocal, remet son haut-de-forme, fait claquer ses bottes. Allard le regarde se diriger vers la porte.

— Où allez-vous ?

— Rue de Sèvres, trouver La Débrouille. C'est ce que vous vouliez, non ?

— Heu… oui. Encore une chose : Gisquet m'a fait comprendre qu'il compte sur vous.

L'inspecteur sort en claquant la porte, furieux que sa faute lui soit encore reprochée. Après l'arrestation de Fieschi, la Sûreté a découvert que celui-ci faisait déjà l'objet d'un mandat remis auparavant à Canler. Trop de paperasse, trop d'affaires à traiter. Un coup dur pour cet officier jusqu'ici irréprochable. Accusé de négligence, il a dû prouver à Thiers qu'il avait réellement recherché Fieschi. Cette nouvelle enquête a donc pour lui un double objectif : neutraliser un tueur et laver son honneur.

Une demi-heure plus tard, Canler arpente déjà le VIIᵉ. Dans sa poche intérieure, son précieux pistolet. Canon à pans. Crosse en noyer à poignée quadrillée. Cartouches à broche, initialement prévues pour le gibier.

Canler explore le quartier, nullement angoissé à l'idée d'arpenter cette zone malfaisante. Dans une France où chacun s'inquiète de son avenir, lui ne se soucie que du présent. Et le présent, c'est le réel. La rue. « Le terrain », comme il l'appelle. S'il n'était pas policier, il serait aventurier quelque part dans le Nouveau Monde. Mais Canler est un inspecteur, alors il inspecte. Observe. Dévisage les passants qui lui sont familiers, pour les avoir arrêtés au moins une fois.

— Vous savez où se trouve La Débrouille ?
— 'Sais rien, moi !

Il s'éloigne, passe à d'autres personnes. Et s'il est à cran, c'est en raison des deux agents imposés par Allard. Lui et son souci de sécurité ; le maître mot en cas d'immersion dans la foule. Prudence justifiée, certes, mais qui risque de parasiter la recherche de Canler. Il sait par expérience que, si un policier seul intrigue, plusieurs exaspèrent.

— Je cherche La Débrouille.

— Pas vu, m'sieu !

À l'affût, Canler ratisse la rue de Sèvres, incroyablement bondée. Voleurs, receleurs, chiffonniers… un à un, les exclus sont sollicités avec insistance.

— Vous savez où se trouve La Débrouille ?

— Ben, non.

— Vous êtes certain ?

— Ben, oui.

Les policiers persistent durant plusieurs heures, étendant leurs investigations aux rues voisines. Questions, réponses, menaces et informations plus ou moins tangibles. Les interrogatoires se succèdent, couverts par la cacophonie ambiante.

À 2 heures passées, une fille publique renseigne enfin Canler. Sur son indication, il se rend aux *Deux Sourires*, l'une des nombreuses maisons de tolérance de la ville. Il traverse le hall, ignorant les femmes dévêtues, et s'engouffre dans l'escalier. Arrivé à l'étage, il enfonce une première porte. Un couple panique, tombant du lit. Canler investit une autre chambre, toutes, et surprend La Débrouille en pleins ébats. Il l'arrache à son plaisir, le soulève par le col. L'homme lui répète ce qu'il a certifié à Gisquet quelques heures auparavant. Canler le plaque contre le mur.

— Cet homme, décris-le !

— J'ai déjà tout dit au préfet !

— Décris-le !

— Il avait une cagoule ! Et des gants ! Et un manteau noir !

— Comme le mien ?

— Non ! Plus large ! Aux manches retroussées !

— Jamais rien vu de tel ! Tu mens !

— Mais c'est vrai, j'vous jure !

— Dis-moi la vérité ou je te casse le bras !

— Non ! J'en ai qu'un ! Ne me…

Canler met sa menace à exécution – Crac ! – et réinterroge le mendiant. Celui-ci pleure à ses pieds, réitérant ses déclarations. L'inspecteur conclut à sa bonne foi et, aidé de dix sergents supplémentaires, retourne inspecter le VIIe. Quatre quartiers passés au peigne fin, de Sainte-Avoye à l'ancien marché Saint-Jean. Les témoignages s'éternisent jusqu'au soir, sans qu'aucun ne confirme les dires de La Débrouille.

Frustré, Canler se résout à regagner son bureau. Il y rédige son rapport, ainsi que le signalement de cet homme en noir. Les sergents, quant à eux, repartent surveiller les cabarets et leur faune. Après lecture du rapport, Allard se rend au domicile de Gisquet pour lui suggérer d'user de la méthode de Fouché. Le préfet accepte alors de débloquer des fonds pour recruter des indicateurs qui seront postés dans le VIIe.

10 heures du soir et Canler quitte enfin la Sûreté. Il boutonne son manteau, ajuste son col, observe sa main droite. Tremblements. Il serre son poing, balade son regard dans la rue. Personne. Alors, tête baissée, il s'éloigne et disparaît dans la brume. Son épouse attendra, cette nuit encore.

7

Interminables sont les nuits pour la compagnie des allumeurs. Au dépôt Est, le gardien s'en accommode, puisque il y a encore amené une fille. Un peu de plaisir pour l'un et un peu d'argent pour l'autre, de quoi supporter leurs existences.

Pendant qu'ils forniquent dans son bureau, le premier groupe revient de sa tournée. Grelottants, les hommes retrouvent leurs confrères réunis devant les poêles. Ils réchauffent leurs mains, pestant contre l'hiver et le Régime.

— Des mois qu'je gratte les pavés ! J'ai plus un rond !

— Moi non plus ! Et tout ça, 'cause de ce Bourbon !

— J'irai bien l'refroidir, ce *riffard* !

— Chut ! On va s'faire *enflaquer* !

Le dernier à avoir parlé, Augustin Bayard, a raison. Depuis l'attentat de Fieschi, c'est un délit de se déclarer républicain et d'émettre quelque réserve à l'égard du roi. Deux des « lois de septembre », destinées à museler l'opposition.

Une rasade de rhum, et le deuxième groupe s'en va éclairer les lanternes de Paris. Tous se séparent, équipés chacun d'un balluchon et d'un crochet. Emmitouflé dans son manteau, Augustin lève les yeux. Ciel de charbon, où les nuages étouffent un maigre croissant. Cette nuit encore, pas de chance. Si la lune avait été pleine, il aurait été dispensé de labeur. Toutefois, il se sait plus chanceux que ses confrères du dépôt Sud : dans les quartiers riches, les lanternes sont passées de deux à cinq flammes. L'heure tourne, alors, sans entrain, Augustin s'aventure dans le VIe.

Seul. Tout seul.

Et déjà, l'angoisse. Là, dans ses tripes. En cinq ans, Paris est devenu le repère de fugitifs et de criminels venus de toute l'Europe. Chaque nuit, il songe à abandonner son travail, craignant pour sa vie. Mais voilà, il a une femme et cinq enfants, il doit continuer au mépris du danger. Un brave, cet Augustin. L'un de ces anonymes qui font la France d'aujourd'hui, loin du roi et de sa Cour d'inutiles.

Il s'enfonce dans la nuit, capturé par la brume. Paris et ses fantômes à la blancheur ondulante. Ils se chamaillent, miaulent, épousent le balancement d'une lanterne. Un grincement, et survient un coup de gong. La brume s'épaissit, isolant le quartier de la capitale. L'île de la Cité, île de partout et nulle part, où se dévoilent des visages lugubres. Ceux de miséreux, devant un chauffoir public. À l'entrée, un avis de recherche gondolé par l'humidité évoque un « homme cagoulé vêtu d'un large manteau noir aux manches retroussées, aperçu dans le VIIe arrondissement ». S'il savait lire, Augustin saurait que la récompense s'élève à deux cents francs.

Il dépasse le groupe, baissant les yeux, s'engage dans une autre rue. Déserte – un coupe-gorge. Son cœur s'emballe, ses doigts serrent le manche du crochet. Tremblant de froid et de peur, Augustin avance en surveillant ses arrières.

Une vingtaine de minutes plus tard, il atteint enfin son secteur, délimité par le passage du Cheval-Rouge. Dans l'obscurité, se balancent les lanternes du sinistre quartier. À l'aide de son crochet, Augustin descend la première. Il l'allume puis, ébloui, la remonte aussitôt. Les yeux plissés, il en allume une deuxième et recule de terreur.

8

3 décembre,
Conciergerie

J'ai longtemps haï et méprisé le genre humain, c'est vrai ; aujourd'hui je le méprise plus que jamais, mais je ne le déteste plus ; et pourquoi ? La haine se commande et le mépris, non. Est-ce donc ma faute si on m'en fournit tous les jours de nouveaux motifs ?

Je retranscris ce que j'ai dit à Arago lors de notre partie de cartes. Il m'a encore laissé gagner, dans l'espoir que je le charge de publier mes *Mémoires*. La prochaine fois, je lui dirai que j'ai prévu de les confier à Allard. Ainsi, je saurai si son amitié pour moi est pure ou intéressée. Au son du matin, je clos ma seconde préface...

Aussi, en finissant, je porte le défi à qui que ce soit de prouver que j'ai menti dans la plus légère circonstance.
Tous ceux qui ont parlé de moi peuvent-ils se présenter avec autant d'assurance ?

... en t'imaginant, futur lecteur, te demander pourquoi j'en ai rédigé deux. Et alors ? La littérature devrait-elle se réduire à une structure classique ? France, je te plains autant que ton conservatisme. Si j'avais le temps, je recommencerais mes *Mémoires* pour les écrire en argot et bousculer tes codes millénaires. Pourquoi me contenter d'une unique préface ? Le contentement est une résignation déguisée et j'ai toujours refusé de vivre au rabais. Aurais-je dû me contenter du dédain de ma mère, moi qui voulais tant son amour ? Et mon père ? Aurais-je dû me contenter de son indifférence ?

Un peu d'encre, et je relate la série d'injustices qu'a été mon enfance. De ma naissance non désirée à mon foyer mortifère en passant par les treize grossesses de mère (dont j'ai été l'un des six survivants), j'évoque mon adolescence assombrie par le décès de deux de mes sœurs. Morts injustes, dont je me suis assez vite consolé. Vivantes, elles m'auraient peut-être elles aussi rejeté.

Plus j'écris et plus je redoute que mes mots soient perçus comme une fuite, malgré mon souci de sincérité. À quoi bon chercher le mot ultime ? Je pourrais rédiger mes *Mémoires* jusqu'à la fin du siècle, les peaufiner durant une seconde vie, qu'elles n'en seraient pas moins lues en une heure.

Des pas dans le couloir. Je consulte ma montre – 2 heures de l'après-midi passées – et me retourne. Derrière la grille, Reffay de Lusignan, mon ancien professeur. Il m'adresse un sourire, qui adoucit son apparence. Il est vrai qu'avec sa maigreur et son visage aux traits rudes, il a le physique de l'homme destiné à l'Église.

Chabrol lui ouvre, détaillant sa soutane avec mépris. Depuis que le catholicisme n'est plus religion d'État, l'Église est devenue la bête noire : réduction du budget des cultes, laïcisation du Panthéon, exclusion des évêques de la Chambre des pairs… Oh, loin de moi l'idée de la plaindre, cette Église. Elle mérite sa punition pour s'être bien engraissée sous la Restauration. À peine me suis-je levé que Reffay de Lusignan me serre chaleureusement contre lui.

— Pierre-François ! Je suis heureux de vous voir !

— Moi aussi.

— Que vous a-t-il pris de gâcher votre intelligence en tuant ?

— Mes crimes n'ont pas terni cette qualité… que je vous dois.

Il conteste avec cette modestie qui l'a toujours distingué de ses pairs. Trop rares, les hommes comme lui sont bien plus séduisants que le dieu auquel ils croient. Sa présence m'investit d'une joie qui, hélas, me renvoie à ma scolarité chez les jésuites. Leurs coups de bâton me reviennent à l'esprit.

— Pierre-François, vous tremblez !

— Hélas, il est des mauvais souvenirs qui se conjuguent encore au présent.

— Je vois, vous songez toujours à mes frères.

— Comment les oublier ?

— Un homme tel que vous devrait savoir tourner la page.

— Je m'y emploie, mon cher.

Je feuillette mon manuscrit et, de l'index, cible un paragraphe.

— Tenez, ceci est pour vous ! *La vengeance fait trop de mal à celui qui la médite sans pouvoir l'assouvir.*

— Qu'est-ce donc ?

— Un extrait de mes *Mémoires*.

— Ah ? Puis-je ?

— Avec plaisir.

Je lui remets mes écrits. Il les parcourt avant de lire à voix haute :

— *Rien ne me paraissait si doux et si digne d'envie que d'être aimé.* C'est touchant.

— Et sincère, comme toujours.

— Vous n'avez aucun mensonge à me confesser ?

— Inutile. Je me suis lavé des vices de la société en me révoltant contre elle.

— En tuant.

— C'est ce que je dis. J'ai agi de la sorte pour punir cette France de l'hypocrisie. Le crime est franc et pur, ce que ne seront jamais le civisme et la bienséance.

Reffay de Lusignan pâlit, comme s'il se reprochait de ne pas avoir su me protéger de l'influence du Diable. Las, il soupire.

— Ainsi, ce qu'a rapporté la *Gazette des tribunaux* est vrai.

— Cela dépend. J'ai dû corriger son compte rendu de mon procès, puisque ses articles m'y prêtaient des remords. Alors, qu'a dit la *Gazette* ?

— Que vous avez tué pour obtenir « le suicide…

— … par la guillotine », en effet.

— Pourquoi teniez-vous tant à être condamné à mort ?

— Attendez de me lire, mon cher.

Je lui désigne ma banquette. Il s'y installe et je le rejoins, croisant les jambes.

— D'ordinaire, vous arrivez à 1 heure.

— Certes, mais j'ai été retardé par un cortège des plus houleux. Des miséreux défilaient pour condamner l'incompétence de la police.

L'air affligé, il opère un signe de croix.

— Cette nuit, un allumeur a découvert une enfant décapitée.

— Mm. Vous vouliez savoir pourquoi je souhaite mourir ? Eh bien, c'est notamment pour quitter ce monde d'injustices.

— Dans ce cas, pourquoi ne pas vous tuer vous-même ?

— Trop commun, mon cher.

9

Le même jour,
quartier du Châtelet

Une pression des rênes, et le vieux cheval s'arrête enfin, secouant la calèche et le cocher avant de s'immobiliser. Allard ne sort pas. Non, il reste assis sur la banquette, les mains croisées sur sa canne, et se prépare à affronter l'extérieur. Cette rage à visages humains, l'insultant par centaines :

— À mort, *la pousse* !

— 'veut pas d'toi, *foutriquet* !

— T'as *l'taf* ou quoi ? Allez, sors !

Allard sourit, amer. À côtoyer des criminels au quotidien, l'argot lui est devenu familier. Aussi ces insultes ne l'offensent guère : il comprend la rancune des Parisiens envers la Sûreté, dont son prédécesseur Vidocq avait fait une milice corrompue. Cette crapule, reconvertie dans le renseignement au service du commerce.

Allard pose son haut-de-forme à sa droite. Inutile de sortir avec, il ne survivrait pas à la foule. Il recroise ses mains sur sa canne, concentré sur l'hystérie du dehors.

Il inspire, puis expire à trois reprises avant de se décider à ouvrir la porte. Son apparition embrase la rue, toutes les rues du quartier. Parmi les miséreux, des journalistes aux crayons levés :

— Monsieur Allard ! Est-il vrai que le corps retrouvé est celui d'une fillette ?

— Qu'en est-il de cette tête livrée au préfet ?

— S'agit-il de la même victime ?

Impassible, il est escorté par cinq agents et dix brigadiers armés de fusils. Sécurité maximale dans ce quartier situé à dix minutes des Tuileries. Allard avance, hué par les uns et harcelé par les autres. Il pourrait les faire arrêter. Tous. Il en a les moyens mais refuse d'assumer la responsabilité d'une insurrection.

Les injures s'intensifient, accompagnées de pavés. Allard en évite un, qui heurte le cocher. Il s'écroule, le cheval panique et s'enfuit avec la calèche, fendant la foule et renversant un éclopé. Son corps craque sous les roues, aggravant la fureur ambiante. Un agent secourt le cocher et apostrophe Allard :

— On a besoin de renforts !

— Non ! En dix minutes, ce serait l'anarchie aux portes du Palais !

L'agent, désemparé, fouille sa poche. Il en sort quelques sous, qu'il balance dans la foule. Les gens se bousculent pour ramasser la ferraille. Les policiers en profitent pour se précipiter jusqu'à la basse geôle, appelée également « morgue ». Les brigadiers font entrer leur supérieur, claquent la porte derrière lui. À l'abri, Allard défroisse sa redingote, puis se recoiffe. À sa droite, Canler, bras croisés :

— Bonjour.

— Bonj…

Allard blêmit, happé par l'atmosphère pestilentielle. Mouches. Cadavres suintants, comme au temps du choléra. Trois ans, déjà. Tous ces morts, par milliers. Un fléau impitoyable qui a frappé toutes les classes sociales jusqu'au chef du gouvernement, Casimir Perier. Allard ne l'avait pas pleuré. Quand les canuts s'étaient révoltés, Périer leur avait envoyé des soldats, déclarant : « Il faut que les ouvriers sachent bien qu'il n'y a de remède pour eux que la patience et la résignation. »

Nauséeux, Allard applique un mouchoir sur son nez. Un regard à Canler, et ils traversent la salle. Vivants et morts s'y succèdent, les premiers nettoyant les seconds. On éponge, on essore, on vide les seaux. Dans un coin, un gros au teint vineux et à l'apparence de boucher, eu égard à son tablier ensanglanté. Le Dr Grivot, rivé sur le cadavre d'une vieille prostituée. Canler s'arrête devant lui.

— C'est à vous.

— Je n'ai pas terminé.

Le médecin, concentré, continue de recoudre le torse. De sa canne, Allard lui bloque la main. Grivot explose de colère :

— Non, mais… Oh ! Désolé, monsieur Allard !

— Montrez-nous le corps, et vite.

— Bien sûr, monsieur Allard.

Sa docilité irrite Canler. Inspecteur émérite et ancien soldat de l'Empire, il ne sera jamais que le second d'Allard. Il n'en dit rien, mais sa vexation n'échappe pas à son supérieur. Grivot les invite à le suivre. Ils marchent entre les défunts, leurs yeux vitreux, leurs émanations fétides, en direction d'une porte battante. Amphithéâtre. Faible éclairage. Deux bougies sur une table, aux extrémités d'un corps recouvert d'une nappe. Une toute petite nappe. Allard, l'air grave :

— C'est donc vrai... il s'agit bien d'une enfant.

— Ce qu'il en reste, dit Grivot.

Il retire la nappe, balayant les mouches qui paradaient sur la fillette. Rachitique. Crasseuse. Décapitée. Allard étouffe un rot dans son mouchoir, Canler grimace de dégoût. Des trois hommes, le médecin est le seul à ne pas être choqué. L'habitude de côtoyer les morts, qu'il loue parfois à des fortunés avides de sensations. Allard et Canler n'en savent rien ; cela vaut mieux pour Grivot, comme pour certains ministres.

Allard bat des cils, les yeux irrités par l'odeur. Il avale sa salive, détaille le cadavre. Orteils et doigts crispés, hématomes sur les bras, abdomen verdâtre, cou au moignon cautérisé, d'où dépasse un semblant de larynx gelé par l'hiver.

— Canler... où l'a-t-on trouvée ?

— Dans le passage du Cheval-Rouge. Aucune trace de sang.

— Elle n'a donc pas été tuée sur place. Était-elle nue ?

— Non, dit Grivot, je l'ai déshabillée pour l'examiner.

— Puis-je voir ses vêtements ?

— Mon assistant les a jetés dans la rue.

— C'est regrettable. Ils auraient pu nous renseigner sur ses origines, son quartier.

— Désolé, monsieur Allard. Je vais sortir pour essayer de...

— Inutile, un indigent les a depuis ramassés.

Allard se penche, observe de près le vagin.

— À première vue, aucune trace de viol. Grivot, vous confirmez ?

— Mmm. Cela nous change.

Les deux officiers scrutent la plaie, au plus près de l'horreur. Ils échangent un regard, après quoi Canler poursuit :

— Pour se livrer à une telle horreur, il faut vraiment être fou.

— Et patient, puisqu'il a cautérisé la plaie. Grivot, avez-vous constaté autre chose ?

— Oui. La lame est partie de la droite.

— Alors, le tueur est gaucher. Quel type de lame, selon vous ?

— Peut-être une scie de menuisier… ou un grand couteau, comme ceux des bouchers. Difficile de savoir, vu la plaie.

— Bien, vous pouvez vous retirer. Je compte sur vous pour ne pas ébruiter cela.

Le médecin quitte la pièce. De sa canne, Allard éloigne les mouches de la plaie, puis examine les petites mains. Plus précisément les extrémités des doigts. Piqûres. Aiguilles. Travail en atelier, seize heures durant. Canler retire son chapeau.

— À quoi pensez-vous ?

— À ma fille… ma petite fille… Dans quelle France vivons-nous ?

— On a la France qu'on mérite.

— Tout de même, décapiter une enfant…

— Après l'avoir rouée de coups et abandonnée dans la rue.

— Elle n'a pas été abandonnée, mais soigneusement disposée dans un lieu fréquenté. Son

60

bourreau voulait que l'on retrouve cette malheureuse, comme il tenait à ce que l'on reçoive sa tête.

— Heu...

— Quoi ?

— Grivot a mesuré le diamètre du cou. Il ne correspond pas.

Allard plisse le front. Deux victimes, donc. Un silence les unit, entre malaise et consternation. Un ange passe ou plutôt une mouche, laquelle se pose sur le torse. Elle le renifle, le parcourt jusqu'à l'abdomen et son auréole purulente. Englué, l'insecte se débat en vain. Allard l'expulse d'un revers de canne.

— Deux victimes de même profil.

— Vous croyez que les crimes sont liés ?

— Deux enfants miséreux. Une tête sans corps et un corps sans tête. Que vous faut-il de plus ?

— Chaque mois, nous retrouvons des enfants morts.

— Mais là, c'est inédit, vous en conviendrez. Dressez la liste des enfants dont on a récemment signalé la disparition, et répertoriez les menuisiers et les bouchers gauchers des VIe et VIIe.

— Cela va faire beaucoup de monde.

— Je sais. Vous pouviez l'examiner sans moi, alors pourquoi m'avez-vous fait venir ?

Canler lisse ses mains gantées. Il saisit le petit cadavre par les épaules, qu'il décolle lentement de la table. Le dos se dévoile, révélant trois plaies. 14 décembre 1834. Double assassinat du passage du Cheval-Rouge, commis par Lacenaire et Avril. Stupéfait, Allard en perd son mouchoir. Canler, reposant le corps :

— Je savais que cela vous évoquerait quelque chose. Lacenaire et vous êtes amis, non ?

— Qui le dit ?

— Vous, dans la *Gazette des tribunaux* datée de jeudi dernier.

— Alors, cela doit être vrai.

— Vous pensez qu'il existe un lien entre lui et ces crimes ?

— Oh, de nos jours, tout est possible : hier, une tête et aujourd'hui, un corps. Je ne suis guère pressé d'arriver à demain.

10

5 décembre,
Conciergerie

— Madame, avant de vous laisser repartir, je souhaite vous faire une confidence.

— Je suis tout ouïe, monsieur Lacenaire.

— Au risque de vous décevoir, sachez que je me repens de mes crimes.

— Êtes-vous sérieux ou s'agit-il encore d'un trait d'humour ?

J'approche de ma quatrième visiteuse du jour, la baronne de Chaimbourg. Parfumée à outrance et parée d'artifice, cette bécasse incarne sans le savoir tout ce que j'exècre. Je pourrais l'étrangler, si sa poitrine n'était pas si généreuse.

— Plus que sérieux, je suis sincère avec qui le mérite, madame.

— Monsieur Lacenaire, si tous les hommes étaient comme vous... mais pourquoi regretter vos crimes, après les avoir tant revendiqués ?

— Eh bien, ils m'ont conduit ici, où je finirai à jamais privé de votre douce présence.

— Qui sait ? Peut-être reviendrai-je vous visiter, grand fou !

— Je ne suis pas si grand, madame.

Je lui fais un baisemain qui, je le sais, l'émoustillera jusque dans son sommeil. Elle rougit et sort, prenant soin de laisser tomber son mouchoir. Je le ramasse, le hume, l'agite pour saluer ma proie consentante. Chabrol referme la grille. Trêve de distractions, il est temps de renouer avec mes *Mémoires*. Je me rassois face à mon manuscrit. Où en étais-je ? Ah, oui ! Je trempe ma plume, persiste et saigne :

Hommes, est-ce ma faute si je vous ai vus tels que vous êtes ? est-ce ma faute si j'ai vu partout l'intérêt personnel se couvrir du manteau de l'intérêt social, l'indifférence se cacher derrière l'amitié et le dévouement, la méchanceté et l'envie de nuire se décorer du beau nom de la vertu et de la religion ? Tout enfant que j'étais, cette connaissance flétrit mon âme.

Je croque une pomme, songeur. Ainsi, me voilà romancier de ma propre existence. Jour après jour, la plume concilie ma vie passée et ma mort prochaine, le petit Pierre François et le grand Lacenaire. Quelle ivresse que l'écriture ! Quel autre domaine permettrait aux adultes d'immortaliser leur enfance ? Elle est bien la seule à pouvoir rendre hommage à cet âge injustement sous-estimé. Si les « grands » étaient moins obnubilés par leur prétendue maturité, ils sauraient qu'il n'existe personne pour...

... se connaître en injustice mieux qu'un enfant, personne qui calcule avec autant de justesse si l'on a tort ou raison à son égard. [...] Parents et maîtres de toute espèce, voulez-vous

faire des élèves justes, vertueux et estimables,
soyez-le vous-mêmes à leurs yeux.

Dehors, une voix suraiguë. Mme Simon, venue du village de Bagnolet. Je l'écoute vanter son beurre et, les yeux fermés, me laisse bercer par les sons de Paris. Libre, mon esprit butine de laitier en marchand, de chanteur en porteur d'eau, lorsqu'un ronflement survient. Chabrol, déjà rendormi sur sa chaise. Je rogne ma pomme et lui lance le trognon en pleine face. Il se réveille en sursaut.

— Aïe ! C'est vous, m'sieu Lacenaire ?

— Oui.

— Et pourquoi ?

— Et pourquoi pas ?

C'est vrai, ça. La vie est si morne, il faut bien s'amuser un peu. Sinon, c'est la mort. La véritable mort, pas celle de l'échafaud, mais celle qui tue l'esprit. J'ai fait de mon procès un spectacle, c'est pourquoi on m'a incarcéré dans la prison la plus dure. Tout cela pour briser l'insoumis que je suis. Mais je suis vivant, et je vivrai tant qu'il y aura des pommes et des têtes à viser.

Des pas me parviennent. Je me retourne et, derrière la grille, reconnais Allard. Ravi, je viens à lui, les mains tendues.

— Mon ami ! Enfin ! Il y a si longtemps !

— Bonjour, Lacenaire. Calmez vos ardeurs.

À sa réserve, je comprends qu'il n'est pas venu seul. Derrière lui, je devine Canler, le visage obscurci par son haut-de-forme.

— Vous, ici ? Quelle agréable surprise !

Il reste de marbre. Chabrol leur ouvre la grille, laissant entrer Allard. Celui-ci frictionne ses bras.

Il doit regretter sa cheminée, devant laquelle son épouse et lui passent des soirées à converser. Je le sais, il me l'a dit. Il retire ses gants pour me serrer chaleureusement la main, ce qui choque Canler.

Celui-ci se décide à nous rejoindre. Son rictus trahit sa réjouissance de me voir en un lieu aussi infâme, avant qu'il ne découvre ma banquette. Là, son visage devient volcan. Je pourrais en rire, mais non. Si sec qu'il puisse être, Canler a su retrouver ma piste. Et l'homme qui arrête Lacenaire ne peut être foncièrement mauvais.

— Messieurs, vous êtes ici chez vous ! Désirez-vous une coupe de vin de Tokay ?

— Non, tranche Canler.

— Et vous, mon cher ?

— Non plus. Je ne suis pas venu parler littérature avec vous.

— Alors, de quoi ? De cette fripouille de Louis-Philippe ?

— Lacenaire, mesurez vos propos.

— Ils le sont. Si je m'écoutais, je dirais « fripouille qui affame son peuple ».

— Son règne est tout de même moins répressif que celui de son prédécesseur.

— Allons, ils sont faits du même bois. Je vous rappelle que Charles X est le frère de Louis XVI, dont Louis-Philippe est lui-même un cousin.

— Et moi, je vous rappelle que c'est grâce à lui que vous avez le droit d'écrire ici. À propos, s'agit-il de vos fameux *Mémoires* sur cette table ?

— Fameux, ce n'est pas à moi de le dire.

Canler libère un soupir appuyé. À sa rigidité s'oppose la délicatesse d'Allard, qui feuillette mon manuscrit avec curiosité. Il parcourt ma préface :

— ... *faire de ma propre main mon autopsie et la dissection de mon cerveau.* De toute ma carrière, je n'ai connu aucun assassin qui prétende réfléchir à ses crimes.

— Et que dites-vous de cela ?

Là, mon père s'arrêta, et me montrant l'écha-faud avec sa canne : « Tiens, me dit-il, regarde, c'est ainsi que tu finiras si tu ne changes pas ! » Dès ce moment, un lien invisible exista entre moi et l'affreuse machine. J'y pensais souvent sans pouvoir m'en rendre compte. Je finis par m'habituer tellement à cette idée que je me figurais que je ne pouvais pas mourir autre-ment. Que de fois n'ai-je été guillotiné en rêve ! Aussi, cette cérémonie n'aura pas pour moi le charme de la nouveauté !

— Lacenaire… décidément, vous aimez dépas-ser les limites.

— Pour les dépasser, encore faut-il en avoir. Alors, quel est l'objet de votre venue ?

Allard échange un regard avec son second, puis se tourne vers Chabrol :

— Veuillez nous laisser.

— Mais… M. Lebel a dit que…

— S'il vous plaît.

Les bras ballants, Chabrol se retire sous les insultes des prisonniers. Parmi toutes ces voix, je reconnais celle d'Avril, incarcéré lui aussi au premier étage. Mon Avril, dont la naïveté me manque parfois et la bouche souvent. Allard s'assoit sur la banquette et, l'air grave, ôte son haut-de-forme.

— L'inspecteur Canler et moi enquêtons sur…
une tête et un corps.

— Ceux de deux fillettes.

— Vous savez ?

— Les vendeurs de journaux s'en sont fait
l'écho. Grâce à eux, je sais tout.

— Même ces trois plaies dans le dos ?

— Ah… vous pensez que ce crime est lié au
mien. Les plaies sont-elles identiques ?

— Oui, causées par un tire-point. Comme celui
avec lequel vous aviez tué ce receleur.

— Et « antiphysique » notoire, ajoute Canler.

Son intervention trahit son dégoût envers ceux
qu'il appelle aussi les « tantes ». Je reste indif-
férent, n'étant que partiellement concerné. Après
tout, j'aime à la fois les hommes et les femmes.
Ma révolte, je l'ai menée jusque dans mon intimité
contre cette France bien-pensante, pour laquelle
être pédéraste constitue une abomination.

— Mon cher Canler, pourquoi cette précision ?

— Parmi vos nombreux surnoms, n'êtes-vous
pas appelé « La Demoiselle » ?

— Certes. Cela vous dérange-t-il ?

— Ce qui me dérange, c'est que vous légitimiez
vos crimes par une prétendue révolte. Est-ce aussi
par révolte qu'après avoir tué ce receleur, vous lui
avez crevé les yeux ?

— À cinq reprises. Eh oui, c'est la révolte qui
a guidé ma main.

— Vous mentez, nous le savons tous les deux.
Vous étiez trop feignant pour travailler, alors vous
avez opté pour le vol et le crime. Tout simple-
ment.

Allard s'interpose :

— Il suffit ! Lacenaire, cessez de faire l'enfant et aidez-nous à trouver l'assassin.

— Arpentez les rues, elles en regorgent. Et cherchez aussi du côté du gouvernement.

— Je suis sérieux.

— Ce qui ne l'est pas, c'est d'établir un lien avec moi à cause de ces plaies.

— Le corps a été trouvé au Cheval-Rouge.

— Ah… et pourquoi vous aiderais-je ?

— Parce que nous sommes amis.

Je soutiens son regard jusqu'à ce qu'il cligne des yeux. Là, je récupère ma blague à tabac, ma pipe et bourre méthodiquement le foyer. Allard et Canler m'observent, impatients. Je gratte une allumette, embrase le tabac et déclare enfin :

— Mis à part vous deux, peu de gens savent pour mes coups de tire-point.

— À qui pensez-vous ?

— Une bande de malfaiteurs, « La Flotte ».

— Vos anciens complices ? Vous les croyez mêlés à cette affaire ?

— Je ne le crois pas, j'en suis certain.

— Dans ce cas, il nous faut leur rendre visite au plus vite. Merci, Lacenaire.

— Merci à vous d'être venu.

Allard se lève, reprend sa canne. Canler sort le premier, soulagé de quitter ce lieu. Je le comprends. L'odeur y est difficilement supportable et ce, malgré le parfum de lavande que j'y ai vaporisé. Allard remet son haut-de-forme.

— Je sais que je ne suis pas votre seul visiteur et que vous écrivez à la presse, mais de grâce, ne dites rien de tout cela à personne.

— Pourquoi le ferais-je ?

— Pour faire parler de vous, une fois de plus.

— Je préfère que l'on parle de moi à travers mes crimes et non ceux d'un autre.

Il acquiesce, déçu. Sans doute aurait-il préféré que je garde le secret par sagesse, et non par orgueil. Il me salue, franchit la grille.

— Mon ami, m'accorderiez-vous une faveur ? Auriez-vous l'amabilité de faire publier mes *Mémoires* après ma mort ?

— Pourquoi moi ?

— « Parce que nous sommes amis ».

— Eh bien... j'accepte.

Si Canler était une bombe, il exploserait sur-le-champ. Estomaqué, il se tourne vers son supérieur, lequel me dit :

— À une condition. Que vos prochaines pages soient aussi talentueuses.

11

Aujourd'hui, rien ne va plus. Pour la première fois depuis son accession au trône, le roi n'a mangé qu'une brioche à son réveil. Et surtout, il n'a pas terminé son thé. La faute à sa nuit agitée, hantée par l'assassinat de ces deux enfants. Il a alors convoqué son ministre de l'Intérieur, lequel a ensuite fustigé Gisquet. Irascible comme jamais, l'enquête ne pouvant progresser sans l'identification des victimes.

Sous la pression de Thiers, le préfet s'est résolu à solliciter son pire ennemi, la presse. Tous les journaux, même ceux qui dénoncent ses magouilles, se sont pliés à ses exigences. Un appel au peuple, convié à se rendre à la morgue afin d'y examiner la tête et le corps. Du jamais vu dans Paris. À enquête d'exception, mesures d'exception. Avec en une de chaque journal, quatre dessins : description des victimes, arrondissements concernés, itinéraire à suivre jusqu'à la morgue, avis de recherche pour « l'homme en noir ».

Appel uniquement destiné aux indigents et aux commerçants, les manufacturiers refusant de libérer leurs ouvriers quelques heures. Gisquet a insisté auprès de Duchâtel, ministre du Commerce, mais il s'est heurté à l'article 1781 du Code civil – « Le maître est cru sur son affirmation pour la quotité des gages, pour le paiement du salaire », etc. – assurant les pleins pouvoirs aux employeurs. Gisquet s'est alors vengé sur Allard, le chargeant d'encadrer le défilé des Parisiens.

Parallèlement, Canler a planifié l'arrestation de La Flotte. Menée avec cinq de ses hommes, l'opération a eu lieu dans trois repères de la pègre. Débutée au débit de liqueurs *La Belle Olympe*, elle s'est poursuivie aux *Quatre Billards* et s'est achevée au cabaret *La Culotte du Diable*. Réunis, tous les membres de la bande ont été conduits à la Sûreté en vue d'établir leur possible implication.

Après Tavacoli, « Mimi », « Le Borgne », « Le Pistolet », « Cancan » et « Requin », c'est au tour de « Pisse-Vinaigre » d'être interrogé. Gueule cabossée et trogne avinée, ce bandit incarne une existence faite de bons plaisirs et de mauvais choix. Réputé pour son mental de fer, il ne se débat pas. Sagement assis, attaché à sa chaise, entre les inspecteurs Clouzot et Batignole. Debout, face à lui, Canler.

Deux heures.

Deux heures de duel.

Deux heures que Canler le harcèle dans cet argot qui lui est déplaisant, mais indispensable pour être compris :

— Allez ! Crache !

— J'ai rien à t'dire.

— Tu m'racontes des *craques* !

— Non.

— Continue et tu vas au *cachemitte* !

— Arrête 'vec ton argot. Y a qu'mes *fanandels* qui m'causent comm' ça.

À bout de nerfs, Canler lui assène un violent coup de poing. Pisse-Vinaigre tombe de sa chaise, l'inspecteur masse sa main engourdie.

— Tu as raison, je préfère mon langage ! Vous deux, coffrez-moi ça !

— Bien, chef.

Il sort en claquant la porte. Le son ébranle tout l'étage, qu'il traverse en ignorant ses hommes. Tous le regardent descendre l'escalier. Canler y bouscule un agent portant un carton. Lettres anonymes, de plus en plus nombreuses depuis la diffusion de l'avis de recherche. Même illettré, le peuple est toujours inspiré.

Arrivé au hall, Canler dépasse les bureaux et sort enfin. Retour au froid, vorace. Il rabat son col, observe sa main droite. Tremblements. Il fouille sa poche intérieure, sort un étui métallique. Quatre cigarettes et une allumette, qu'il gratte contre le mur. Il avale une bouffée. Pense à son épouse. Balade son regard dans la rue. Devant une vitrine, des miséreux peinent à lire les résultats d'une loterie. Parmi eux, une vieille a recours à une roue du hasard. La France d'aujourd'hui, en perdition.

Canler tire à nouveau sur sa cigarette, lorsque Allard apparaît à sa droite. Il suspend sa canne à son bras, frictionne ses mains gantées.

— Alors ? Pisse-Vinaigre ?

— Il n'y est pour rien et les autres non plus. Lacenaire s'est joué de nous.

— Impossible. Comme il l'a dit lors de son procès, « Lacenaire ne trahit que qui le trahit » et il n'a qu'une parole.

— La parole d'un assassin.

— Il est des assassins plus préoccupants que lui. Vous vous trompez de priorité.

— À chacun sa confusion.

— Canler, si vous avez quelque chose à me dire, je vous écoute.

— J'exècre Lacenaire et je trouve désolante l'estime que vous lui portez.

— J'entends votre indignation, étant moi-même dérouté par l'amitié que je lui voue. Il est certes un assassin, mais bien plus honnête que ceux qui nous gouvernent.

— C'est un minable, à l'image de ses crimes.

— S'ils sont si minables, comment expliquer qu'ils se soient distingués des autres ?

— Il a su les vendre à la presse.

— Et il est le premier à donner un sens politique à des crimes d'ordinaire crapuleux. Il prétend expliquer les siens dans ses *Mémoires*.

— Expliquer… c'est la mode. À trop réfléchir le crime, on risque de le rendre acceptable.

Allard acquiesce, partageant ces craintes. Tandis que la police est sans cesse critiquée, la criminalité est de plus en plus analysée, évaluée, banalisée par les phrénologues mais aussi par les bureaucrates. En premier lieu, le Compte général de l'administration de la justice criminelle avec ses statistiques annuelles. Et de la curiosité à la fascination, il n'y a qu'un pas que la presse a déjà franchi.

— Ainsi, tout se rapporte à Lacenaire.

— Reste à savoir pourquoi.

— Et à établir le profil du tueur. Essayons, voulez-vous ? Que savons-nous de lui ?

— Qu'il porte une cagoule et...

— Concentrons-nous sur les crimes. Que fait-il ?

— Il tue des fillettes.

— Et quel symbole est-il attribué à l'enfance ?

— Heu... la pureté, l'innocence.

— Plus j'y pense et plus je me dis qu'il ne tue pas des enfants : il les punit.

— Une fessée aurait suffi.

Allard lance un regard à Canler, lequel jette sa cigarette. Ses yeux passent du mégot aux toits de Paris, où ils s'aventurent tel un chat. Après bien des cheminées et des tourelles, son regard s'attarde sur l'ancienne maladrerie, désormais réservée aux indigents sexagénaires. Allard tape des pieds pour se réchauffer :

— Il est possible qu'il punisse cette innocence, comme l'a été la sienne par le passé.

— Il tuerait pour exorciser son enfance maltraitée ?

— C'est possible. Dites à vos hommes de consulter les archives des hôpitaux sur les enfants maltraités ces vingt dernières années.

— Entendu.

Amer, Allard regagne l'immeuble. Canler, lui, allume une autre cigarette. D'un soupir à un autre, de la Sûreté à la préfecture, où Gisquet referme le rapport du Dr Grivot : au terme de ce premier jour de défilé à la morgue, aucune victime n'a été identifiée.

12

Deuxième jour et nouvelle cohue.

Marchands, charretiers, ravaudeuses, mendiants… tous traversent le quartier du Châtelet en direction de la basse geôle, pour y examiner la tête et le corps, exposés dans l'amphithéâtre. Et ça marche, ça se bouscule, ça s'énerve. Défilé incessant encadré par des sergents de ville, afin d'éviter tout débordement.

Des centaines de Parisiens, d'ordinaire oubliés par l'État et désormais sollicités. « Obligés », murmure-t-on dans la file d'attente incroyablement longue. Submergé, le Dr Grivot a réclamé auprès de la préfecture une vingtaine de brigadiers pour les soulager, lui et son équipe. Renfort accordé, Gisquet étant dans un bon jour.

Deuxième jour et davantage de visiteurs.

Sous la pression de Thiers, un accord a finalement été signé avec les manufacturiers afin que leurs employés puissent eux aussi se rendre à la morgue. Métallurgistes, forgerons et cloutiers – pour ne citer qu'eux – ont été autorisés à sortir, munis de leur livret ouvrier portant la mention « libre de tout engagement ».

Afin d'éviter que tous ne quittent simultanément leurs postes, une répartition a été instaurée, permettant aux hommes de sortir le matin et aux femmes l'après-midi. La rotation est surveillée par les sergents de ville le long de l'itinéraire, pour prévenir tout retard abusif sous peine de sanctions. Et si cela ne suffit pas, il reste le chantage, éternelle arme des puissants, préconisée dix ans plus tôt par l'économiste Bergery : « C'est une folie que de dépenser son temps sans faire œuvre de ses dix doigts, ou à des choses absolument inutiles, ou dans de vains amusements. Songez sans cesse qu'une heure vaut au moins quinze centimes pour l'ouvrier qui peut gagner trente-six sous dans sa journée et que chaque minute perdue le prive d'environ trois millièmes de franc. »

Deuxième jour et nouvel échec.

13

De gris, le ciel passe au noir. Le moment pour les exploités de rentrer chez eux, après quinze heures de labeur ininterrompu. À travers la ville, ateliers et manufactures se vident de leurs travailleurs. Fourbus, nullement consolés par leur salaire : deux francs pour les hommes, un pour les femmes, quarante-cinq centimes pour les enfants.

Un trésor pour Thibault, âgé de sept ans. Un gros trésor, même, puisqu'il déborde de ses petites mains. Éreinté mais content, il examine ses *beaucoup de pièces*. Derrière lui s'impatientent d'autres petits :

— Allez ! Bouge !

— Oh ! C'est bon, quoi !

Thibault met la monnaie dans sa poche, réajuste sa casquette. Fin prêt, il sort de l'atelier de textile Belmond et Fils. Deux ans à manier des aiguilles et à nettoyer des bobines encrassées. La semaine dernière, le patron lui a dit que, lorsqu'il sera trop grand pour les tâches délicates, il pourra surveiller les machines. Alors, Thibault est content, ignorant qu'il passera les journées debout.

Il foule les pavés, remontant la rue Oberkampf. Petit, si petit, dans ce froid infernal. Il souffle dans ses paumes, prend le chemin de son foyer. Trajet laborieux autant qu'obscur, dans cette rue privée d'éclairage. Thibault n'en a cure, obnubilé par la soupe chaude que lui servira sa maman d'ici peu. Il presse le pas et, au détour d'un chien crevé, s'engage dans une ruelle. Loin derrière lui résonnent les voix fluettes de ses compagnons… et des pas. Lourds. Très lourds.

Il se retourne.

Rien, ni personne.

Juste un miaulement, quelque part.

Thibault se remet en chemin. Les pas, plus proches. Effrayé, il inspecte à nouveau ses arrières. Toujours personne, et le tintement des pièces causé par ses tremblements. Il repart, la tête rentrée dans les épaules. Les pas, encore. Thibault s'arrête, le cœur battant, se retourne… et se retrouve aux pieds d'un géant vêtu de noir. Cagoulé, l'homme applique son index de cuir sur ses lèvres : « Chuuuut. »

L'enfant acquiesce, impressionné, lorsqu'un bruit attire son attention. Un frottement, émanant de l'autre main du colosse. À l'intérieur, un grand couteau à la lame scintillante. Thibault panique. Recule. S'enfuit en hurlant. L'homme s'élance, sa cape se déploie telle une nuit rapace. Thibault accélère…

« Schhhh ! »

… et zigzague…

« Schhhh ! »

... en échappant de peu...

« Schhhh ! »

... au couteau, qui finit par le scalper partiellement. Le sang éclabousse le prédateur, dont l'ombre se referme sur sa proie. À bout de souffle, Thibault redouble d'efforts en palpant ses cheveux ensanglantés où – *tchac !* – la lame ponctue son existence.

14

Quatrième jour.

Aujourd'hui, les Parisiens se rendent en masse à la morgue. Et plus ils défilent, plus les bouchers et menuisiers se succèdent depuis l'aube dans les locaux de la Sûreté. Tous gauchers. L'occasion pour les policiers de repérer les sociétés de secours mutuel, ces groupes de travailleurs qui ne cessent de se multiplier dans le pays : bouchers, menuisiers, maçons, tisseurs, serruriers, imprimeurs… des milliers de Français solidaires, dont la colère inquiète de plus en plus le régime.

Ainsi, entre deux questions sur les jeunes victimes, on les interroge sur leurs opinions politiques et leurs projets des confréries. Autant d'informations transmises au ministère de l'Intérieur. Tandis que la nuit s'abat sur Paris, si Thiers a le sourire, Allard a de quoi soupirer. Toujours aucun suspect. Toujours aucune identification. Toujours rien.

Et surtout, un assassin particulièrement pervers en liberté. « Le coupeur de têtes », comme le nomme *Le National*, fleuron de la presse républicaine, pour lequel « ces infanticides sont à l'image d'un régime qui affame ses enfants ».

15

10 décembre,
Conciergerie

Profitons de la circonstance
Pour regarder le genre humain,
Il est moins bas, moins laid, je pense
Au travers de deux doigts de vin.

Je cesse d'écrire et relis mon « Désenchante-
ment ». Par orgueil, mais aussi par dévotion envers
toi, ô futur lecteur. Mon texte me renvoie aux
autres. Avec l'écriture, nul besoin de calendrier.
De mes chansons à mes poèmes en passant par
mes *Mémoires*, je peux resituer chacun de mes
instants passés dans ce cachot.

J'insère mes écrits dans l'enveloppe, la scelle
avec de la cire et la destine à Charles Philip-
pon. Un homme pour qui j'ai un grand respect,
depuis qu'il a été condamné pour avoir caricaturé
Louis-Philippe. Mon courrier à la main, je marche
jusqu'à la grille. Affalé sur sa chaise, Chabrol
lit *Le Figaro*. La une est titrée « La Flotte boit

la tasse », suivi du récit de l'arrestation de mes anciens complices. Hé, hé.

— Chabrol, soyez gentil de faire parvenir ceci au siège du *Charivari*.

— Maintenant ?

— Non. Hier, abruti. Allez, au trot ! Et dites à Lebel de venir.

Chabrol est vexé, mais Chabrol ne dit rien, car Chabrol a peur. Il fait pivoter sa graisse, traverse mollement le couloir. Les minutes qui suivent sont pour moi l'occasion d'observer le dehors. Dans la cour, quatre détenus en obligent un autre à manger leurs excréments. Face à un tel panorama, je préfère contempler le ciel. Lebel apparaît peu après, furieux.

— Quoi, Lacenaire ?

— Pourriez-vous me faire livrer un potage d'essence de gibier, treize cailles désossées, ainsi qu'une compote de fruits à la liqueur ? M. Allard va venir me visiter.

— Il n'a pas annoncé sa venue.

— Sans doute parce qu'il est mon ami, et non le vôtre.

— Pour qui vous prenez-vous ?

— Pour celui qui pourrait révéler à la presse les coulisses de votre établissement.

— J'ignore de quoi vous parlez.

— Je parle de cette absinthe livrée en secret à vos gardiens.

— Pour dénoncer cela, encore faudrait-il que votre courrier arrive à destination.

Je m'approche de la grille et le fixe. Lebel blêmit.

— Ce... cessez de me fixer ainsi.

— En quoi mon regard vous incommode-t-il ? Vous effraie-t-il ?

— Ce n'est pas la question !

— Est-il semblable à celui de votre père, qui vous a éduqué au ceinturon pour faire de vous un être aussi dur ?

— Je ne vous permets pas !

— Est-ce pour vous affranchir de votre enfance brimée et du complexe de votre mètre soixante que vous avez tant insisté afin de diriger la prison la plus célèbre du pays ?

Il se retire, suant de peur. Je retourne à mes *Mémoires*, relis mes dernières lignes, puis relate notre installation à Lyon en 1812. Sinistre période : après une demi-sixième au collège, j'ai été placé en pension, avant que mon père ne m'impose une nouvelle sixième à Saint-Chamond. Un calvaire, d'autant que mon frère y était lui aussi.

J'élude sa fourberie et la préférence que lui vouaient nos parents pour m'attarder sur 1817 et… Ah ! Plus d'encre. Je trempe ma plume. Elle ressort noircie, comme l'a jadis été mon innocence de collégien. En effet, de guerres en esclavages, j'ai vite été écœuré par le destin de cet Homme censément doué de raison. Ma haine des miens est alors devenue obsessionnelle. À chaque cours d'histoire, que d'horreurs, que d'injustices…

… justifiées par le succès ! Que sont donc les hommes ? me disais-je ; avec qui suis-je donc destiné à vivre ? jusqu'ici, je n'ai vu que de petites injustices dont j'ai été la victime, il est vrai, mais enfin que l'on peut dédaigner avec un peu de philosophie et d'insensibilité. Mais

que deviendrais-je si un jour j'étais appelé à jouer un rôle sur la scène du monde ? Que vois-je dans l'histoire que j'étudie ? bourreaux et victimes ; n'ai-je donc qu'un de ces deux rôles à choisir ?

Ces questions ont aggravé les malheurs de mon adolescence, qui se raconte d'elle-même : 1818 et mon exclusion du collège pour y avoir déclenché une révolte, 1819 et la fin de mes études. À l'enseignement scolaire a succédé celui de la vie, où mes emplois chez des notaires et des banquiers ne m'ont appris qu'à les haïr. Eux, ces incurables qui préfèrent le profit au partage et l'artifice à la vérité.

De la période qui suit, je ne retiens que mon engagement dans un régiment et ma désertion, mes premiers faux (ruiné aux jeux, je n'avais plus la patience de retravailler avec des nantis), mes séjours en Écosse, en Angleterre, puis en Italie, où j'ai commis mon premier crime. Un jeune Suisse, rencontré au détour d'une bouteille de vin. Il m'était sympathique, alors je lui ai raconté mes exactions. Ma confiance, ce scélérat l'a trahie dès le lendemain en rapportant mes faux aux autorités. Blessé, je lui ai imposé un duel et lui ai dit : « Voici deux pistolets : il y en a un chargé et un autre qui ne l'est pas. Choisissez et tirons ensemble. » Il s'est indigné, me disant...

... qu'il ne se battait pas ainsi. Non, lui dis-je, vous ne voulez pas décidément (en disant ces mots, je pris dans la main droite le pistolet chargé et que j'avais remarqué). Une fois ? Non... deux fois ? Non... trois fois ?... j'en suis

fâché pour vous, dis-je, et je lui lâchai le coup
au beau milieu du visage. Je laissai le pisto-
let qui m'avait servi et emportai l'autre pour
laisser planer des soupçons de suicide.

Chabrol réapparaît, je consulte ma montre.
Une demi-heure : le temps qu'il aura mis pour
se rendre au *Charivari*, pourtant situé à deux rues
d'ici. Sans doute s'est-il arrêté en chemin pour
parader devant des bécasses impressionnées par
son uniforme. Derrière lui, le cuisinier Gabriel et son
second, chargés de mets.

— Ah, Gabriel ! Quel plaisir !

— Plaisir partagé, m'sieu Lacenaire. Comment
ça va, aujourd'hui ?

— Mieux qu'hier, moins que demain. Et vous ?

— Oh, ben... comme d'habitude.

Gabriel et sa simplicité, qui confine à la pureté
d'âme. Toujours bienveillant, il est pourtant une
victime de cette sale époque. Pour preuve sa
jambe de bois, qu'il doit à un canon turc lorsqu'il
guerroyait en Morée. Quant à sa femme et à ses
deux fils, ils n'ont pas survécu au choléra.

Je récupère mes *Mémoires* et mon encrier pour
libérer la table. Ils y déposent les plats. Conformes
à mes exigences, le potage, les cailles et le reste
parfument mon cachot.

— Merci infiniment, mon cher Gabriel.

— Attendez de goûter, m'sieu Lacenaire.

— Nul besoin, ces senteurs suffisent à m'eni-
vrer.

Il se retire, suivi de son assistant. J'observe ce
dernier et plus particulièrement son fessier, pour

lequel j'ai quelque ambition. Chabrol me détourne de lui.

— J'ai remis vot' courrier.

— Je vous en remercie et vous convie à savourer une caille.

— Oh ! C'était pour moi, la treizième ?

— Eh oui. Allez, faites-vous plaisir.

Ce gourmand ne se fait pas prier, mangeant salement avec ses doigts.

— Merci encore, m'sieu Lacenaire.

— De rien. À présent, veuillez me laisser.

— Bien sûr, me dit celui qu'il a été si facile de corrompre et qui, désormais, se sentira redevable.

Chabrol referme la grille, lorsque des pas résonnent dans le couloir. Des pas familiers. De l'index, j'affine ma moustache et me tourne vers Allard.

— Bonjour, mon ami !

— Bonjour, Lacenaire. Qu'est-ce donc que ce festin ?

— C'est le nôtre.

— Vous… vous m'attendiez ?

— J'ai appris par *Le Figaro* que Canler avait arrêté La Flotte. Le connaissant, je sais qu'il les a tous interrogés et en a conclu qu'ils n'étaient pas impliqués. Je savais donc que vous viendriez me demander des comptes.

Je fais signe à Chabrol d'ouvrir la grille. Il s'exécute, manipulant les clefs de ses doigts gras. Allard le remercie, pénètre dans mon cachot. Il ôte son haut-de-forme, observe ces mets généralement servis aux Tuileries. Il le sait par Gisquet, n'ayant jamais eu l'honneur de rencontrer le roi.

Il s'assoit sur la banquette. Tandis que je me réserve l'inconfort de la chaise, il déplie sa serviette sur ses cuisses. Je l'imite, nous sers deux coupes de vin et lui tends le plat de potage.

— Servez-vous, mon ami.

— Merci.

Il emplit son assiette.

— Alors ? Vous croyez toujours La Flotte impliquée dans ces meurtres ?

— Non. J'avais juste un compte à régler avec eux.

— Lacenaire, vous me décevez.

— Allons ! Je vous ai livré des hommes qui, bien qu'ils ne soient pas liés à cette affaire, le sont à une dizaine d'autres.

Je me sers à mon tour. Contrarié, Allard se lève. Il récupère sa canne, que j'intercepte.

— Vous partez déjà ?

— Vous vous êtes servi de moi. Est-ce donc là votre vision de l'amitié ?

— Désolé, mon ami. J'ai commis l'erreur de vouloir m'amuser un peu.

— Je n'en ai ni le temps, ni l'envie. Deux enfants sont mortes.

— Acceptez mes excuses et, de grâce, goûtez ce potage que j'ai demandé pour vous.

Il marque un temps d'arrêt, au terme duquel il consent à se rasseoir. Nous débutons nos assiettes dans un silence ponctué de cuillerées délectables. Incapable de rancune, Allard se réconcilie peu à peu avec moi, apaisé par la saveur des cailles. Le repas se poursuit entre vin et détails sur ce qu'il appelle « cette affaire sordide ». Alors que je lui tends la compote, Lebel réapparaît.

— Monsieur Allard ?

— Monsieur Lebel !

Puis levant son verre :

— Merci pour ce festin !

— C'est... c'est tout naturel, monsieur.

— Je vous écoute, mon cher.

— M. Canler vous demande.

— Dites-lui que je serai à la Sûreté d'ici une heure.

— Il dit que c'est urgent, monsieur.

16

Cette nuit, l'hiver est monté d'un cran. Tout le monde l'a senti, du foyer le plus gelé aux cheminées des Tuileries. Au matin, les Parisiens ont découvert leurs rues tapissées d'une blancheur surnaturelle. Ils ont d'abord cru à de la neige, mais non : les eaux s'écoulant généralement par les égouts avaient formé une épaisse couche de glace, au grand dam des habitants. Tous énervés et transis, à commencer par les mendiants. L'un d'eux s'est engouffré dans un hall d'immeuble du Ier. Il y a trouvé refuge, mais pas seulement.

Depuis, sa découverte a été transférée à la morgue. La main sur la bouche, Allard et Canler observent. Le ventre noué, les yeux irrités par l'odeur. Ce fumet âcre, émanant du cadavre de ce garçon décapité. Le troisième enfant en dix jours.

Paf !

Sous le choc, les deux hommes n'osent parler. Hypnotisés par ce petit cou tranché, ces trapèzes déchiquetés.

Paf !

Leur silence est couvert par le bourdonnement des mouches, célébrant ce nouveau venu. Des mouches que le Dr Grivot éclate nerveusement...

Paf !

... entre ses mains. Du regard, Allard le somme d'arrêter. Le médecin rejoint ses assistants. Ils feignent de nettoyer leurs ustensiles pour chuchoter entre eux. Canler se décide à parler, pour la première fois depuis leur arrivée :

— Il faut un couvre-feu pour les enfants.

— Avant de venir, j'en ai discuté avec Gisquet. Il va y réfléchir.

— Qu'attend-il ? D'autres victimes ?

— Il redoute une hystérie collective.

— Et surtout, de perdre son fauteuil. Un couvre-feu pour les petits, c'est de la main-d'œuvre en moins et on ne le lui pardonnerait pas.

Allard se concentre sur le corps, à la décomposition avancée. Vision bouleversante, qui le confronte à son impuissance. Il n'en dit rien mais, depuis quelques jours, il se sent capitaine d'un navire coulé.

— Encore un enfant miséreux. Vu son état, cela ne date pas de la nuit dernière.

— Grivot dit qu'il est mort il y a trois jours.

— Quelle horreur... Des témoins ?

— Je l'ignore, les gens refusent de parler. La Révolution a pondu une Déclaration des droits de l'homme et du citoyen, mais ce même citoyen en a oublié ses devoirs.

— Le peuple a peur, cela peut se comprendre. Bon, essayons de raisonner : une tête le 2, un corps le 3 et un autre aujourd'hui. Une semaine après. Le tueur nous a d'abord submergés, sachant que l'enquête serait précipitée, et le voilà qui prend son temps.

— Il se sait en confiance.

— Assez pour attendre qu'un corps commence à pourrir.

— Peut-être pour nous empêcher de l'identifier.

— Et nous éprouver davantage.

Allard baisse les yeux, ne cherchant plus à masquer son malaise. Le front plissé, il songe à cet assassin capable de conserver sa jeune victime durant trois jours. Trois longs jours et trois longues nuits, malgré l'odeur infâme.

— Canler… jamais je n'ai été confronté à tant de perversité.

— Moi non plus. Et cette fois encore, pas de sang sur les lieux.

— Notre tueur a donc un repère pour tuer ses victimes et les conserver. Dans quel coin du Ier ce garçonnet a-t-il été découvert ?

— Rue de Sartine.

— Au numéro 4 ?

— Oui. Comment le savez-vous ?

— Lacenaire y avait agressé un garçon de recettes. Avez-vous examiné le dos ?

— Je vous attendais. Grivot, revenez et retournez le corps.

Le médecin baisse les yeux. Canler s'impatiente :

— Eh bien ?

— C'est que… cela porte malheur de toucher les morts du « coupeur de têtes » !

— Allons donc. Et qui le dit ?

— Tout le monde ! Et je ne veux pas de malédiction, moi !

— Il suffit ! Je vous ordonne de…

— C'est bon, intervient Allard, nous pouvons le faire nous-mêmes.

Canler fixe son supérieur, lequel soutient son regard. Deux secondes, après quoi Allard saisit le corps par les épaules et le retourne. La peau poisseuse se décolle de la table, révélant trois plaies entre les omoplates. Récentes, similaires à celles retrouvées sur le dos de la fillette et sur celui du receleur jadis tué par…

— … Lacenaire, peste Canler, encore lui.

— Le tueur tient absolument à ce que nous reliions leurs crimes.

— Comme par hasard.

— Qu'insinuez-vous ?

— Ce que vous vous refusez à envisager : que votre ami puisse être à l'origine de ces crimes.

— Je vous rappelle qu'il est incarcéré.

— Il a de nombreux admirateurs et ne cesse de faire passer des courriers à l'extérieur. Il a pu charger un tiers de poursuivre son « œuvre ».

— Il n'a jamais tué d'enfants. Quant à son œuvre, il la poursuit à la plume.

— Les *Mémoires* d'un assassin. Avez-vous songé à leur impact sur le peuple ?

— Rassurez-vous, plus de la moitié des Parisiens est illettrée.

— Tout de même…

— Il suffit ! Canler, êtes-vous avec moi ou contre moi ?

Son éclat de voix attire l'attention des médecins. Allard se ressaisit. Canler, à voix basse :

— Je suis avec vous, naturellement.

— Tant mieux, puisque je vais solliciter Lacenaire.

— Quoi ?

— Le tueur est soit un admirateur, soit un malfaiteur qui a un contentieux avec lui. C'est pourquoi il faut le consulter. Qui sait ? Peut-être connaît-il l'assassin.

— Mais…

— Vous avez une meilleure idée ? Une semaine que vous et vos hommes interrogez à tout-va, que vous épluchez des dossiers, et tout cela en vain.

— Jusqu'ici. Nous n'en sommes qu'au début.

— Alors continuez. De mon côté, je vais mettre Lacenaire sur notre enquête.

— Il vous faudra l'autorisation de Gisquet.

— Je compte bien la lui demander. En attendant, doublez nos indicateurs, inspectez les caves et greniers des Ier, VIe et VIIe. Quant à moi, je vais réétudier le dossier de Lacenaire en quête de méfaits commis les 2, 3 et 7 décembre. Grivot ! Exposez cela avec le reste ! Et vite !

Il recouvre le corps, se dirige vers la sortie. Canler le suit, sidéré par sa décision. Arrivés devant la porte, ils échangent un regard. Usés d'avance à l'idée de subir la colère de la foule, comme lors de leur arrivée. Allard retient sa respiration, ouvre la porte. Le peuple se déchaîne, déversant injures et huées : la peur, nouvelle capitale de la France.

Ils sortent, escortés par des gendarmes. Bousculé, Allard se cramponne à sa canne, tandis que Canler joue des coudes. Ils se frayent un passage en direction de leur calèche. Plus que quelques mètres, et ils se réfugient à l'intérieur. Canler referme la porte.

— Incroyable. En moins d'une heure, la foule a triplé.

— C'est la crise, tout augmente.

— Très drôle. En attendant, la situation s'aggrave de jour en jour.

— Alors, trouvez cet assassin au plus vite.

Tandis que la calèche repart, Allard aperçoit un homme en soutane. Une bible à la main, celui-ci alerte ses frères sur le « coupeur de têtes, fils du Malin dont le sacre culminera avec l'Apocalypse ».

17

Le lendemain

C'est arrivé peu après 11 heures. Un son suraigu, incroyablement strident, a ébranlé le quartier du Châtelet. Mendiants et marchands se sont figés. Des centaines de gens statufiés dans les rues. Terrorisés par ce cri viscéral en provenance de la morgue. Le hurlement d'une mère ayant reconnu le corps de son fils Thibault, âgé de sept ans, disparu cinq jours auparavant.

Une demi-heure plus tard, Allard en personne est revenu sur les lieux. La mère s'étant depuis évanouie, il s'est adressé à l'une de ses filles. Éplorée, tout aussi convaincue d'avoir reconnu son petit frère, employé comme elle à l'atelier Belmond et Fils.

— Mon enfant, en es-tu certaine ?

— Oui, m'sieu.

— Désolé d'insister, mais comment…

— Les creux dans ses jambes, j'ai les mêmes. C'est à force d'entrer dans les machines pour les nettoyer. Il y a que chez m'sieu Belmond qu'ça fait ça.

18

Trois cavaliers, dix brigadiers, vingt sergents. Il fallait bien autant d'effectifs pour sécuriser la venue de Canler dans le quartier du Temple. L'enfer pour tout individu portant un uniforme.

Canler investit le lieu obscur, suivi de l'inspecteur Clouzot. Celui-ci referme la porte, après quoi son chef retire son haut-de-forme et détaille l'intérieur : humidité, moisissure, cancrelats… Il se tourne vers la femme en haillons assise face à la fenêtre.

— Madame ?

Elle ne réagit pas. Dans un coin, ses cinq enfants grelottent, enveloppés dans une même couverture. Cette image donne raison à l'étude menée il y a quelques mois, révélant la concentration de familles nombreuses dans les Ve, VIe, VIIe, VIIIe, IXe et XIIe. Des arrondissements où les plus pauvres ne contrôlent pas la naissance de leurs enfants et n'ont pas les moyens de les envoyer en nourrice. « Encore heureux », avait conclu Gisquet.

— Madame ?

Elle se retourne enfin. De ses yeux s'écoulent des larmes qui cisèlent ses joues crasseuses.

— Oui, inspecteur ?

— Navré de vous déranger en pareil moment, mais avant sa disparition, votre fils...

— Thibault, il s'appelle Thibault.

— Thibault vous avait-il parlé d'un fait étrange ?

— Comm' quoi ?

— Un homme, grand, qui l'aurait abordé dans la rue.

— Thibault et moi, s'voit jamais. L'a peu d'temps pour lui, après l'atelier.

L'inspecteur Clouzot sort un crayon de sa poche ainsi qu'un carnet. Il prend note, sous les yeux des enfants hypnotisés par ses cheveux roux. « Ceux du Diable », murmure l'un d'eux. Canler reprend :

— Thibault avait-il pour habitude d'errer dans d'autres quartiers ?

— Non. Quand l'a du temps, 'reste jouer avec les p'tits du coin.

— Ceux-ci ont-ils déjà évoqué un individu masqué et vêtu de noir ?

— J'sais pô.

— Et votre mari ? A-t-il jamais vu quelqu'un rôder autour des enfants ?

— Mon mari, l'est mort. S'est pendu y a deux mois, juste au-dessus d'vous.

Canler lève les yeux au plafond, divisé par une poutre, et imagine cet homme. Sans doute un endetté qui a dû vendre ses outils pour nourrir sa famille, comme tant d'autres. Deux mille suicides recensés depuis cinq ans, et ce n'est pas fini. Canler tend la main à Clouzot, qui lui remet un avis de recherche, puis le montre à la mère.

— Et vous ? Avez-vous déjà aperçu un individu répondant à ce signalement ?

— C'est ça qu'est partout sur les murs, hein ? Non, ça m'dit rien.

— Regardez bien, madame.

— Ça m'dit rien, j'vous dis.

— Mm… je vous remercie.

Il rend le papier à Clouzot et, du regard, le somme de sortir. Le jeune inspecteur salue la petite famille et referme la porte derrière lui. Canler fouille l'une de ses poches. Il en sort une bougie et une boîte d'allumettes.

— Tenez, madame. C'est bien peu, mais…

— Merci.

— Au revoir, et courage. Courage à tous.

Il remet son haut-de-forme, traverse la pièce insalubre et rouvre la porte.

— Inspecteur !

— Oui ?

— Dites à mon Thibault de vit' rentrer. C'est bientôt la nuit.

Il la fixe avec compassion, sort et referme derrière lui. Une heure plus tard, Gisquet se rend au palais des Tuileries pour s'entretenir avec le roi et Thiers. À l'issue de leur entrevue houleuse, deux décisions : patrouilles de police dans les quartiers Est et instauration d'un couvre-feu pour les enfants, autorisés à quitter leur lieu de travail avant le crépuscule. Uniquement ceux âgés de moins de huit ans.

19

Une heure. Une heure que la pluie torrentielle fait de cette soirée une punition pour les passants. Déluge si puissant qu'il en devient acide. Trempé, Allard traverse le quartier Saint-Michel en pressant le pas. Sous un porche, deux miséreux le regardent enjamber les flaques et s'enfuient, effrayés par sa tenue élégante, synonyme de pouvoir.

Allard s'abrite, secoue sa redingote, puis son haut-de-forme, et repart. Il atteint la fontaine débordante qu'il contourne jusqu'au *Café de la Renaissance*. Essoufflé, il ouvre la porte et bascule dans une autre France, celle des privilèges censés être révolus depuis 1789. Gilets à boutons d'or, châles de cachemire et bijoux ostentatoires. Les clients le regardent, puis renouent avec leur festin respectif. Allard reconnaît Guizot, le ministre de l'Instruction publique, en compagnie de son épouse. Inclinaisons cervicales, entre salutation pudique et hypocrisie contenue.

Allard essuie ses semelles boueuses sur le tapis. Un blondinet rasé de près et enveloppé d'un tablier blanc vient à lui.

— Bonsoir, monsieur.

— Bonsoir. Je suis attendu.

— À quel nom, je vous prie ?

— Pierre Allard.

Le jeunot se fige, ainsi que les clients les plus proches. Ils ont entendu, identifiant le policier décrié par la presse. Échanges de regards et chuchotements se propagent de table en table. Tandis que l'employé consulte le registre, un autre débarrasse Allard de sa redingote, de sa canne et de ses gants.

Le blondinet se saisit d'une grande carte et l'invite à le suivre. Ils traversent la salle bondée, sous les lustres scintillants. Toutes ces bougies qui seraient mieux à éclairer les taudis des « petites gens », tels qu'on les appelle ici. À l'approche d'Allard, les murmures cessent, puis reprennent après son passage. Il se concentre sur le dos du serveur qui le conduit à une table située dans un coin. Allard y reconnaît Gisquet à sa calvitie, son supérieur étant rivé sur son assiette.

— Bon appétit, monsieur le préfet.

— Merci, dit-il sans le regarder.

De son couteau, il indique le siège devant lui. Allard s'installe sur le fauteuil que le jeunot lui présente, récupère la carte. Gisquet découpe un ortolan et engloutit un morceau, toujours sans adresser le moindre regard à Allard. Celui-ci se lance :

— Cela a l'air savoureux.

— Ça l'est. Vous ne connaissez pas leur faisan rôti bardé d'ortolans ?

— Je n'ai encore jamais eu cet honneur. D'ailleurs, merci pour votre invitation.

— Oh, ce n'est rien. C'est l'État qui paie.

Allard simule un sourire. Il ouvre la carte, où chaque mets proposé attise son appétit. Quant à la diversité des vins, elle est aussi stupéfiante que leur cote. Gisquet mastique, avale, relève enfin la tête.

— Alors ?

— J'hésite entre des laitances de carpe au xérès et les truites du lac Léman.

— Non, je veux dire : où en est l'affaire ?

— Heu... avant de vous le dire, je vais passer la commande.

Allard fait signe au garçon le plus proche. La démarche efféminée de celui-ci trahit son attrait pour ses pairs. Allard sait reconnaître ceux que Thiers lui ordonne d'arrêter pour « assainir » Paris.

— Oui, monsieur ? demande le serveur.

— Je vais prendre des laitances.

— Si je puis me permettre, monsieur, notre vin de Chypre s'y accorde à merveille.

— Dans ce cas, je vais en prendre un verre.

— Bien. Vous aussi, monsieur le préfet ?

— Non, répond Gisquet en levant le sien, j'en reste au johannisberg.

Gisquet regarde le serveur s'éloigner, après quoi il fixe durement Allard.

— Alors ? Qu'en est-il du coupeur de têtes ?

— Hélas, monsieur le préfet, l'enquête piétine.

— Malgré tous ces indicateurs que vous m'avez réclamés ?

— Ils surveillent toujours les Ier, VIe et VIIe. Sans résultats, pour l'instant.

— Et les victimes ? Du nouveau ?

— Le garçon a été identifié. Il résidait dans le quartier du Temple et travaillait chez Belmond et

Fils. Rien qui permette d'établir des conclusions sur la nature du tueur, jusqu'à présent.

Gisquet croise ses couverts dans son assiette, qu'il repousse d'un air contrarié.

— Vous n'avez plus faim ?

— Vos « pour l'instant » et « jusqu'à présent » m'ont coupé l'appétit. Une tête, deux corps, et vous n'avez rien trouvé ?

— Si. Les corps présentent trois plaies semblables à un crime commis par Lacenaire.

— Que vient-il faire ici, celui-là ? Il me tarde que cette crapule se fasse raccourcir, je n'ai que trop entendu parler de lui.

— Cela risque de continuer, le tueur semble déterminé à relier leurs crimes.

— Cherchez du côté des Italiens. Ces gens-là sont des brutes, il n'y a qu'à voir avec quelle violence ils ont rejeté l'Autriche.

— Mm.

— Quoi, « Mm » ? Allard, je vous pensais le plus qualifié, mais je commence à en douter, à l'instar du roi. Ces crimes angoissent le peuple et grippent la ville. Sans compter ce défilé d'ouvriers, dont les absences enrayent notre économie.

— Je fais tout ce que…

— C'est insuffisant. Face à la vermine, on s'adapte. Mêmes méthodes, même ruse. Dois-je vous remémorer mon action après les insurrections ?

— Non, monsieur le préfet.

Mais Gisquet est déjà lancé, radotant son succès d'il y a trois ans. À l'époque, il avait obligé les médecins à déclarer le nom de ceux qu'ils avaient soignés afin d'identifier les émeutiers. Allard l'écoute, fronçant ses sourcils pour mieux simuler son attention.

— J'entends bien, monsieur le préfet. Et nous agissons, croyez-le. Comme vous le savez, Canler a arrêté de dangereux malfaiteurs qui...

— ... se sont révélés étrangers à l'affaire.

— Sauf votre respect, si le tueur était membre de La Flotte, vous ne diriez pas cela.

— Votre respect m'importe guère, tant que vous faites ce pour quoi on vous paie !

Le serveur réapparaît avec le plat de laitances. Il sert Allard, qui lorgne les clients à sa droite. Conversation entre bourgeois, fiers et gras. Il tend l'oreille, capte les mots « fachieune » et « biftèque ». Rien de surprenant, la mode étant à l'Angleterre : langage, cuisine, Jockey Club... tout le monde s'y met. Même son épouse, avec le textile. Paradoxe d'une France anglomane à la politique protectionniste.

Comme le garçon repart, Gisquet fouille la poche de son gilet. Il en sort un cigare, le hume avec délice. Le frottement au contact de sa moustache irrite Allard.

— Monsieur le préfet, j'ai une requête à vous soumettre.

— Dites toujours.

— Je vous demande l'autorisation de solliciter Lacenaire dans mon enquête.

Gisquet s'étouffe avec la fumée. Le voyant tousser, un serveur se précipite jusqu'à lui. Il le renvoie d'une main autoritaire, chuchote à Allard :

— Vous... vous êtes sérieux ?

— Oui. Peut-être pourrait-il nous apprendre quelque chose au sujet du tueur.

— Je me demande si vous ne cherchez pas à venir en aide à votre ami.

— Certes, Lacenaire est mon ami, mais l'officier que je suis condamne ses crimes.

— Et l'homme, qu'en pense-t-il ?

— Il les déplore.

Songeur, Gisquet tire sur son cigare.

— En admettant que j'accepte, en quoi Lacenaire nous serait-il utile ?

— Il pourrait examiner les corps et...

— Vous voulez le libérer ? Il n'y a pas assez d'assassins dans les rues ?

— Il s'agirait évidemment d'une liberté temporaire et sous étroite surveillance.

— Tout cela à cause de ces similitudes...

— ... reproduites avec la même arme, sur des corps disposés dans des lieux réfléchis. J'applique ce que vous m'avez dit : je m'adapte au tueur.

— Vous pensez que Lacenaire accepterait de collaborer ?

— Oui.

— Par amitié envers vous ?

— Non, celle-ci ne saurait le détourner de sa haine envers notre Corps. Pour le convaincre, j'ai mon idée.

20

14 décembre,
quartier Bonne-Nouvelle

Plus que dix jours avant Noël. Cette fête à l'origine païenne, récupérée par l'Église et finalement conservée par le régime actuel. En cinq ans de règne, le roi l'a bien compris : la célébration de Noël apaise temporairement le peuple, le détournant de ses tourments quotidiens et des scandales politiques.

Tandis que le jour se retire, les Parisiens achètent les premiers cadeaux : bijoux pour les uns, orange pour les autres. Sans compter ces sapins transportés à travers toute la ville. Demain, P'tit Léon ira en couper un avec son père. Et s'il leur reste quelques sous, ils le décoreront avec des fruits. En attendant, P'tit Léon n'est pas content. Mais alors pas du tout. La raison en incombe à ses camarades qui le pointent du doigt.

— Allez ! C'est toi qui fais le gendarme !

— C'est pô juste ! Pourquoi encore moi ?

— Parce que ! C'est toi le gendaaaarmeuh ! C'est toi le gendaaaarmeuh !

« La chasse », le nouveau jeu des enfants des quartiers Est. Un signe des temps. P'tit Léon tente

107

de négocier avec ses camarades, qui refusent et le raillent. Les enfants sont cruels, c'est ainsi. Cruels et bruyants. Le vacarme résonne dans la cour, encadrée par quatre immeubles délabrés. Une mère à l'une des fenêtres les interpelle :

— Les enfants, la nuit tombe ! Ça va êt' le couv'feu !

— M'man ! On veut jouer 'core un peu !

— Cin' minutes !

La femme ronchonne avant de retourner à ses kilos de linge. P'tit Léon, lui, capitule. Les siens forment une mêlée.

— Un ! Deux ! Trois !...

— Bon, d'accord ! Mais c'est pô juste qu'c'est toujours moi !

Il détale avant qu'ils ne comptent jusqu'à dix. S'ils savaient compter jusqu'à vingt, P'tit Léon aurait davantage de temps pour trouver une meilleure cachette. Plus sûre que cette rue sombre. À peine s'y est-il engagé que ses camarades se lancent à sa recherche. Alerté par leurs pas, il se réfugie derrière un tas d'immondices, à côté duquel se trouve un franc. P'tit Léon le fixe.

Étonné. Fasciné. Irrésistiblement attiré.

Il s'en empare, avant d'en apercevoir un autre à quelques mètres. Il hésite, craignant d'être repéré par ses camarades, mais la tentation est trop forte. Il sort de sa retraite et le ramasse. Deux francs, rien que pour lui. Et un troisième, plus loin, qui scintille dans l'obscurité. Il se rue dessus. P'tit Léon n'en revient pas et contemple la pièce. Belle, si belle à la lueur de la lune. Et cette image du roi, dont le profil s'obscurcit peu à peu. Alors, la nuit s'anime, noircissant toute la rue. Deux mains gantées surgissent derrière lui. Le capturent. L'entraînent dans les ténèbres. Tandis que l'une étouffe ses cris, l'autre le saisit par le cou et...

21

… ma plume se brise, tachant ma page. Irrité, je prends un autre papier, change de plume. Je recopie mes mots, puis cesse aussitôt. S'il est une chose que je te dois, cher public, c'est d'être sincère. Mais comment puis-je l'être en me plagiant ? Chacun de mes mots doit porter ma pensée immédiate. Si je recopie mes écrits, on ne lira pas ce que je pense, mais ce que j'ai pensé. Et cela, je m'y refuse.

Si cette page a été sacrifiée, c'est qu'elle devait l'être. Sous l'influence du hasard, et non celle de ce dieu que l'on a toujours voulu me faire vénérer. Je n'ai jamais cru en lui ni en quelque puissance prétendument supérieure. En effet, il m'est vite apparu que si l'on me prouvait l'existence de dieu, cela n'influerait en rien sur ma vie. Quant aux Voltaire, Helvétius, Diderot et autres penseurs…

… je m'en abstins parce que je voulais me créer un système basé sur des faits, un système qui fût le mien et non le résultat de vingt mille théories que j'aurais trouvées dans leurs livres.

Gelé, je réchauffe mes paumes au-dessus de la bougie. Je fais de même avec mon verre et, peu après, le porte à mes lèvres. Mmm ! Rien de tel que du vin chaud pour réveiller mon corps, et par là même mon esprit. À travers ma plume, je renoue avec 1828 où, après mon premier crime, je suis rentré au pays. Soucieux d'échapper à ma famille, je me suis engagé dans le 16e régiment de ligne de Grenoble. Par patriotisme ? Oh non, juste pour patienter en attendant la mort de mon père et ma part d'héritage.

Affligé par les militaires, j'ai déserté afin de retrouver ma famille. Quelle n'a pas été ma déception en apprenant son départ pour Bruxelles après la faillite de mon père ! Comment un homme si avare avait-il pu finir ruiné ? Privé de réponse, j'ai voulu partir pour l'Amérique, vantée par tous comme une terre de réussite. J'ai écrit à ma mère pour lui demander de quoi financer mon voyage, mais ses cinq cents francs étaient bien insuffisants. Livré à moi-même, sans emploi, j'ai alors connu la solitude de la rue et l'indifférence de ses passants. Affamé, c'est là que je suis devenu voleur…

… et assassin d'intention. Maintenant, vous qui voulez bien me connaître, écoutez-moi avec attention. Ce ne sera pas de ma faute si je ne vous mets pas à même de bien me juger. C'est ici, à proprement parler, que commence mon duel avec la société, duel quelquefois interrompu par ma propre volonté, et que la nécessité m'a forcé à reprendre en dernier lieu. Je me résolus à devenir le fléau de la société.

Je consulte ma montre. 6 heures passées, déjà. Je n'ai pas vu passer la nuit. Il me faut dormir un peu car ma journée sera longue avec tous mes visiteurs. Je termine mon verre et – *Pff !* – éteins la bougie. Là-bas, les barreaux de ma fenêtre découpent la lune en petits cylindres lumineux. Je m'allonge sur la banquette et m'enveloppe dans ma couverture. À peine ai-je fermé les yeux qu'une voix sèche interrompt mon repos :

— Lacenaire !

— Lebel, je déteste être dérangé de la sorte. J'ai tué pour moins que cela.

— Je sais, intervient une autre voix.

Je m'empresse de gratter une allumette. Ma bougie renaît, éclairant Allard dans le couloir. À sa droite, Lebel, le crâne nu, grelotte en chemise de nuit. Quant à Chabrol, son garde-à-vous chancelant atteste qu'il dort encore. Je m'approche de la grille.

— Mon ami ! Vous ici, avant l'aube ?

— Oui, grogne Lebel, et je n'apprécie guère cette visite précoce.

— Sachez que la venue de M. Allard, aussi réjouissante soit-elle, est une surprise.

— Je confirme, ajoute Allard.

Lebel se décompose et, outré, l'abandonne sur place. Chabrol laisse entrer Allard, referme derrière lui. Poignée de mains, chaleureuse pour moi et crispée pour lui. Il retire son haut-de-forme. Son regard, d'ordinaire pétillant, est anxieux. Je lui désigne la banquette.

— Ravi de vous voir. Désirez-vous un verre de vin chaud ?

— Non merci.

— Comment se porte votre petite fille ?

— Bien. Ses nuits se déroulent mieux… contrairement aux miennes.

Sa voix est étonnamment morne. C'est certain, il me cache quelque chose, je le vois dans ses yeux. Perplexe, je m'installe sur la chaise. Il s'assoit, se tourne vers Chabrol :

— Laissez-nous, s'il vous plaît.

— C'est que…

— Chabrol ! dis-je, allez donc faire un tour !

Il s'exécute, s'enfonçant dans le couloir. Je rouvre ma blague à tabac et remplis ma pipe.

— Alors, cher ami ? Que se passe-t-il ?

— Mon enquête piétine.

— Ah. J'en suis navré. En deux semaines, vous n'avez pas progressé ?

— L'un des enfants a été identifié, mais je n'ai aucun suspect. L'affaire m'échappe, d'autant que la presse s'en est emparée.

— Et si vous sollicitiez Vidocq ? On dit que ses enquêteurs sont performants.

— Des crapules au service des manufacturiers. Je suis perdu… je me sens sombrer.

— Allons, vous êtes comme ces navires indestructibles qui ont conquis le Nouveau Monde. Comme disaient les Nautes, *Fluctuat nec mergitur*.

— J'ai besoin de vous, Lacenaire.

— Mon ami, si je pouvais vous aider…

— Vous le pouvez. Les crimes font écho à votre parcours. C'est pourquoi je veux vous engager en qualité de consultant.

J'avale une bouffée de tabac et, sans le quitter des yeux, évacue la fumée par mes narines.

— Non.

— Je vous le demande comme un service.

— Que je rendrais à une police que j'exècre ? Désolé, mais je refuse.

— Ce n'est pas une proposition.

— Je vois. C'est donc un ordre ?

— J'ai besoin que vous examiniez les corps.

— Je vous le répète, c'est non.

Je me relève pour qu'il fasse de même. Mais Allard reste assis et me fixe :

— Lacenaire…

— Collaborer avec la Sûreté reviendrait à me trahir et c'est hors de question.

— Même pour neutraliser un tueur d'enfants ?

— Ce chantage est indigne de vous, mon ami… si vous l'êtes encore.

— Je reste votre ami, mais cette nuit, c'est en père de famille que je m'adresse à vous. Je veux cet assassin et, que vous le vouliez ou non, vous allez m'aider à l'arrêter.

— Jamais je n'aurais cru vous dire cela, mais vous m'irritez. Je vous prie de sortir.

Allard soutient mon regard une longue seconde. Il se relève alors, remet son haut-de-forme.

— Soit. Canler vous enverra deux de ses hommes, demain à midi. Ils vous remettront un masque et des habits.

— Parce qu'en plus, tout cela est officieux ?

— Gisquet et Thiers sont d'accord, mais le roi n'est pas au courant. Il aurait refusé.

— Vous prenez des risques. Votre carrière mérite-t-elle tant de folie ?

— Oui, si cela peut éviter d'autres victimes. Vous serez conduit à la morgue durant le déjeuner de Lebel. Celui-ci n'étant pas dans la confidence, je lui dirai que vous avez été transféré dans un hôpital pour cause de fièvre.

— Tant de mensonges. Je ne vous reconnais plus.

— Et moi, je m'attendais à davantage de compréhension de votre part.

— Vous ne pouvez m'obliger à collaborer.

— Si. En faisant réviser le verdict de votre procès.

Ses mots me giflent, m'étranglent, m'écartèlent. Trahi, je suis trahi par un homme que je croyais ami. Je tremble, me sens défaillir. Mon enfance, mes amours, mes crimes, mes *Mémoires*, ma vie entière m'échappe.

— Vous n'oseriez pas !

— Moi non, mais Gisquet, si. Il connaît bien le juge qui a dirigé votre procès. De quoi vous envoyer au bagne.

— Toute ma vie, je n'ai vécu que pour mourir sur la place publique ! Finir au bagne serait pour moi la pire des humiliations !

— Si vous tenez tant à la guillotine, pourquoi vous êtes-vous pourvu en cassation ?

— Pour... pour avoir le temps de rédiger mes *Mémoires*.

— Je vois. À chacun ses mensonges.

Il se dirige vers la grille et, de sa canne, cogne à trois reprises :

— Chabrol ! Vous pouvez revenir !

Sa voix résonne dans le couloir, où réapparaît mon gardien. Il ouvre la grille, Allard sort et se tourne vers moi :

— Au revoir, mon ami.

— Au revoir, monsieur Allard.

Il me fixe une dernière fois, l'air peiné, puis s'éloigne. Tandis que Chabrol referme, je fais les cent pas dans mon cachot. Moi, au bagne ? Enchaîné aux pires parasites de l'humanité ? Exploité, affamé, privé de littérature et d'amour jusqu'à mon dernier souffle ? Jamais je ne deviendrai l'un de ces hommes déformés par l'usure, semblables à ce cafard à mes pieds. Un misérable insecte, voilà ce à quoi l'on me destine. Je l'écrase d'un pied ferme et appuie de toutes mes forces. Il me faut une idée, vite. Une idée, maintenant, et je me rue sur la table. Plume. Encre. Papier. Enveloppe. Cire.

— Chabrol ! Allez remettre ceci à *La Culotte du Diable* et dites « Vertige ».

— Hein ? Mais il est tôt et...

— Faites-le ou je dis à Lebel que vous lisez *Le National* en son absence.

— C'est faux, j'suis pas *bouzingot* !

— Je sais. Votre condamnation n'en serait que plus injuste.

22

16 décembre,
hôtel du Bailliage du Palais

— Bonjour, monsieur le préfet. Vous avez demandé à me voir ?

— Asseyez-vous. Désirez-vous un verre de vin ?

— Avec plaisir.

Canler aurait préféré la liqueur de poires posée sur l'étagère, mais tant pis. Ce n'est pas tous les jours que Gisquet l'invite chez lui. C'est même la première fois, l'occasion de le voir en robe de chambre. Canler ôte son haut-de-forme, prend place sur la banquette. Ses yeux suivent Gisquet qui traîne ses chaussons en velours jusqu'à son armoire. Il en sort une bouteille de clos-vougeot, remplit deux verres en cristal, en remet un à son invité et s'assoit face à lui.

— Merci, monsieur le préfet.

— Mais de rien, mon cher. À la vôtre ! Aujourd'hui, c'est vous qui êtes à l'honneur.

— Ah.

— Canler, j'ai une mission pour vous.

— Si vous m'en parlez à votre domicile, c'est qu'elle n'est pas officielle.

— En effet, dit Gisquet avant de boire, il est question de Lacenaire.

— Cette crapule !

— Allons, du calme. Comme vous le savez, j'ai autorisé Allard à le solliciter dans le cadre de l'enquête.

— Je sais...

— Je vois que vous n'approuvez pas ma décision.

— Si vous l'y avez autorisé, c'est que cela vous paraît judicieux.

— Selon Allard, Lacenaire pourrait nous en apprendre davantage sur les victimes.

— C'est ce qu'il pense, mais je crains qu'il n'en profite pour s'échapper.

— Je le crains également. Lacenaire en fuite, ce serait l'échec de trop.

Gisquet pose son verre sur la table basse à côté d'une boîte de cigares. Il l'ouvre et la présente à Canler, lequel refuse poliment. Gisquet en ampute un au moyen d'un petit canif, l'allume, s'enfonce confortablement dans la banquette.

— Qu'attendez-vous de moi, monsieur le préfet ?

— Une étroite surveillance, mais discrète.

— Je m'engage à pister Lacenaire de très près.

— Il ne s'agit pas de lui.

— Vous voulez que j'espionne M. Allard ?

— Disons plutôt observer.

— Mais...

— Je le soupçonne de vouloir faire évader son ami. J'espère me tromper, mais il vaut mieux prévenir que guérir.

— Monsieur le préfet, je pense que...

— Canler, c'est moi qui pense. Vous, vous pouvez disposer.

Abasourdi, Canler pose son verre encore plein sur la table. Le clos-vougeot, ce sera pour une autre fois. Il se lève, remet son haut-de-forme et traverse lentement le salon jusqu'à la porte.

— Canler !

— Oui, monsieur le préfet ?

— Il va sans dire que le succès de votre mission effacerait définitivement votre arrestation ratée de Fieschi.

Le temps.

Avant, nous vivions avec lui, et voilà qu'il s'est mis à nous tuer. Dans ce siècle en mutation, soumis à l'horloge. Elle qui angoisse l'ouvrier dès le réveil, lui fait redouter une amende en cas de retard, le martyrise toute la journée et le presse sur le chemin du retour. Impatient de retrouver les siens, eux-mêmes impatients de se coucher pour reposer leurs corps brisés.

Le temps, notre bourreau.

Tous esclaves, du mourant redoutant la fin au journaliste bâclant son article pour obtenir ses sous, en passant par le roi et sa soif d'immortalité. Et moi, comme eux, je souffre en observant ma montre. Plus les minutes passent, plus le chantage d'Allard me torture. Dans quelques heures, deux de ses sbires m'arracheront à ce cachot pour m'obliger à me fourvoyer. Et j'ai mal, si mal.

Prisonnier du présent, je m'en remets au passé, renouant avec mes *Mémoires*. À la lueur de ma bougie, je reprends la plume…

Lorsque je vis arriver la misère et avec elle la faim, la haine succéda au mépris, haine profonde et rongeuse, dans laquelle je finis par envelopper tout le genre humain. Dès lors, je ne combattis plus pour mon intérêt personnel, mais pour la vengeance. Mais cette vengeance, je la voulais grande comme ma haine. Croyez-vous que c'était le sang de dix, vingt de ses membres qui m'eût suffi ? Non, non, c'était l'édifice social que je voulais attaquer dans ses bases, dans ses riches, ses riches durs et égoïstes.

… tandis qu'Allard veille également, en cette heure tardive. Contrarié, amputé d'une amitié dont il peine à faire le deuil. Assis dans son lit, à côté de son épouse endormie et sereine, la main dans le berceau de leur petite Constance. Il les contemple. Instant magique où mère et fille dialoguent, de soupirs en sifflements de nez.

Allard sourit, attendri, puis se replonge dans son livre de chevet : *Sur l'homme et le développement de ses facultés* d'Adolphe Quételet, paru il y a quelques mois. Audacieux, ce Quételet. L'un des premiers à oser aborder le phénomène criminel sous l'angle social et non individuel. Une approche moderne…

« Les pays où ont lieu de fréquents mélanges de peuples, ceux où l'industrie et le commerce réunissent beaucoup de personnes et de choses et présentent le plus d'activité, ceux enfin où l'inégalité des fortunes se fait le plus ressentir donnent, toutes choses égales, naissance à un plus grand nombre de crimes. »

… que Canler est loin de partager. Debout dans son salon, il observe la nuit à travers sa fenêtre.

Chemise entrouverte, mains dans les poches, cigarette aux lèvres. Songeur, lui aussi. Lacenaire, Allard, Gisquet ; leurs visages ne cessent de ricocher dans sa tête. Une migraine insupportable, contre laquelle il n'a pas la force de lutter.

Il tire sur sa cigarette, aperçoit une silhouette au coin de la rue. Un homme, lui aussi en train de fumer, et qui l'observe. Le visage obscurci, enveloppé dans son manteau noir. Ils se fixent dans une confrontation diagonale. Longtemps.

25

— Debout !

La voix me réveille, suivie d'un choc à l'abdomen. Je masse mon ventre – *Aïe !* – et découvre deux policiers dans ma cellule. L'un tenant une matraque, l'autre un sac. Ils veulent en découdre, je le sens. Canler me fait payer mon insolence : il m'a envoyé ce que la Sûreté a de plus dur et de moins intelligent. Derrière la grille, Chabrol assiste à la scène, mal à l'aise.

— Bonjour, messieurs. À qui ai-je l'honneur ?

— Inspecteur Weber et voici l'inspecteur Collin. On nous envoie pour ce que tu sais.

Weber esquisse un sourire qui s'accorde mal avec sa matraque. Ainsi, ces bourrins sont informés du stratagème. Pour s'assurer de leur silence, on a dû leur promettre une sacrée prime. L'autre jette le sac à mes pieds. À l'intérieur, une cagoule en tissu, une tunique en haillons et de vieux sabots. Tenue de miséreux ; mon déguisement pour n'éveiller aucun soupçon à l'extérieur.

— Je suis censé me vêtir ainsi ?

— Tu pensais sortir habillé comme un prince ?

— Je ne crois pas vous avoir tutoyé.

— Je me fiche de ce que tu crois. Allez, déshabille-toi !

— Mon cher, j'ai connu des invitations à la débauche plus agréables.

Weber se crispe, blessé dans sa virilité de pacotille. Il m'assène un nouveau coup, m'envoyant au sol, et brandit sa matraque.

— Appelle-moi encore une fois « mon cher » et je te la mets bien au fond !

— Qui sait ? dit Collin. Ça pourrait lui plaire !

Ils s'esclaffent. Derrière la grille, Chabrol m'observe avec compassion. Je me rétablis, fébrile, puis me déshabille. Jabot de dentelle, chemise, gilet, pantalon... ils n'en perdent pas une miette, aux premières loges de mon humiliation. Tandis que je plie mes vêtements sur la banquette, Weber feuillette mes *Mémoires* avec mépris.

— Dis donc, t'en écris, des choses !

— Plus que vous n'en lisez.

— Gare à toi. Alors, voyons un peu ce qu'il écrit, notre poète... *Dupes et fripons, voilà en deux mots comment peut se résumer toute la politique passée, présente et future.* Eh bien, avec de tels propos, tu risques de...

— Je suis déjà condamné à mort, imbécile.

Il me fixe et, de sa matraque, renverse mon manuscrit. Mes pages s'éparpillent au sol. Weber, tout sourire :

— Oups ! Désolé !

— Heureusement qu'il y a des hommes tels que vous dans la police. Sans cela, je n'aurais aucun plaisir à les tuer.

Je sors la tunique. Elle pue, sans doute celle d'un mendiant mort de froid. Je me résous à l'enfiler, passe aux sabots. Trop petits, évidemment. Je force, mes orteils s'insurgent. À peine ai-je mis la cagoule qu'ils me ferrent les mains et les chevilles, me tirent par les épaules, m'entraînent dans le couloir, où Chabrol me regarde passer.

— À tout à l'heure, m'sieu La…

— La ferme ! l'interrompt Collin.

Je comprends qu'à partir de maintenant mon nom ne sera plus prononcé. Les gorilles m'escortent. Nous longeons les cachots de mes voisins, dont je redécouvre les visages. Depuis mon arrivée, ils n'étaient pour moi que des voix rauques et vulgaires, comme celle de ce détenu à ma gauche :

— Hé ! T'es qui, toi ?

— À mort, *la pousse* !

— J'veux voir Lebel ! hurle Avril à ma droite…

J'ai envie de lui parler mais ne peux le faire. Un seul de mes mots et il serait rossé sur-le-champ. Les cachots se succèdent, entre ceux des « pailleux » – tous occupés – et ceux réservés aux prisonniers de marque. Cette semaine, ils sont vides : aucun satiriste ni écrivain. J'aurais pu y être incarcéré, mais Lebel a refusé. Dommage. Il paraît que la vue y est plus belle.

Après une succession de grilles et d'escaliers humides, nous nous retrouvons dans la cour. J'observe un groupe de forçats enchaînés entre eux. Nous marchons dans l'indifférence des gardes occupés à leur mettre au cou la « cravate ». Quelle infamie ! Rien ne m'effraie autant que ce triangle de fer, symbolisant toute la dureté du bagne.

J'avance péniblement, retardé par mes sabots. En face, la grande porte. Un autre gardien, un tour de clef, et me voilà dehors. Paris, enfin. Ses passants, sa cacophonie, tout cela me monte au cerveau. Enivré de liberté, je contemple le ciel. Jamais le gris ne m'a paru aussi ensorcelant. Hélas, le duo me ramène au réel, me dirigeant à travers la foule.

— Avance. Et gare à toi, on t'a à l'œil.

— Je vous rappelle que je suis pieds et poings liés.

— La ferme.

— Messieurs, votre sens de la repartie me manquera.

Au fil des pas, j'aperçois un magnifique cheval blanc à l'avant d'une calèche. Le cocher m'ouvre la porte. À l'intérieur, Allard. Gêné, comme moi. Je suis content de le revoir, malgré son odieux chantage, et m'installe face à lui.

— Bonjour, Lacenaire.

— Bonjour, mon ami. Navré de ne pouvoir vous serrer la main.

— Ainsi, me voilà redevenu votre ami ?

— Vous n'avez jamais cessé de l'être. Et puis, c'est à vous que je dois cette liberté.

— N'y prenez pas goût. Vous serez rentré avant ce soir.

— J'y compte bien, j'ai encore beaucoup à écrire.

Il sourit, tape sa canne contre l'habitacle. Le cheval entame son trot. Les passants se croisent et s'ignorent comme avant, bien que la foule me semble moins dense qu'avant mon incarcération.

— C'est moi ou il y a moins de monde dans les rues ?

— Vous avez remarqué, vous aussi ?

— C'est flagrant.

— Ce « coupeur de têtes »... les gens ont peur, je le sens à chacune de mes sorties. Et le matraquage de la presse ne fait qu'empirer les choses.

J'observe les anonymes, détaille leur tenue pour en déduire leur profession. Ici, un banquier. Là, deux industriels. Et des nantis partout. Rien de nouveau chez les Parisiens. L'inédit, je le trouve avec cet omnibus à deux chevaux, au loin.

— Il en existe à deux chevaux, à présent ?

— Oui. L'heure est à l'innovation, paraît-il.

— Cet omnibus est fort beau, mais ce n'est pas avec cela que le pays se réveillera.

— Je vois, vous pensez comme Lamartine. D'après lui, « la France s'ennuie ».

— Pour moi, c'est plutôt « la France m'ennuie ».

Notre complicité retrouvée lui arrache un sourire. Le cocher engage la calèche dans une rue commerçante bordée de sacs d'épices. Leurs senteurs me transportent en Orient, loin de ce froid si rude. Au fil des rues, les fortunés font place à des individus aux tenues de plus en plus modestes et rapiécées. Les premiers mendiants apparaissent. Le quartier du Châtelet est proche.

— Lacenaire... hier, j'ai été dur avec vous. Je vous présente mes excuses.

— Je les accepte, si vous acceptez les miennes.

— Oui. Vraiment, je suis désolé d'avoir été si...

— C'est oublié. Il y a plus important, comme ce tueur d'enfants.

— Vous êtes donc disposé à nous aider ?

— Je ne le fais que pour vous.

Miséreux et infirmes se partagent le trottoir souillé d'excréments. L'atmosphère s'alourdit, mêlée de sueur et de crasse. Nous nous engageons dans une ruelle lorsque un fiacre nous percute. Je bascule en avant, échoue sur Allard. Le cocher enrage en tirant sur les rênes. Notre cheval hennit, les deux hommes s'insultent, et le trajet reprend son cours. Je me rétablis sur la banquette.

— Désolé, mon ami.

— Ce n'est rien.

— Ce contact forcé me laisse entrevoir d'autres possibilités avec vous.

— Lacenaire, nous sommes amis et ne serons jamais que cela.

Un brouhaha attire mon attention sur une file d'attente qui s'étend jusqu'à la morgue. Ouvriers, marchands, filles publiques… tous ridés d'une vieillesse précoce. Le cocher arrête son cheval, Allard pose son haut-de-forme.

— Quoi qu'il arrive, ne parlez pas. Personne ne doit vous reconnaître.

Il ouvre la porte et, muni de sa canne, descend. La foule l'insulte, de la rue aux fenêtres. Tous ces gens ligués contre cet homme si bon, si juste. Je suis pétrifié. Allard me tire par le bras, me dirige à travers les enragés. L'un d'eux me retient par le col :

— Oh ! Double pô !

Deux autres tirent sur ma tunique, ma cagoule, avant que des gendarmes ne les repoussent violemment. La Sûreté au secours de Lacenaire. Soulagé, je souffre tout de même d'être aidé par ces policiers. Ils nous escortent jusqu'au porche, l'un d'eux nous ouvre. Allard me pousse à l'intérieur, claque la porte derrière nous. Le cœur battant, je découvre alors cette morgue dont j'ai si souvent entendu parler. Une vaste pièce empuantie de cadavres, envahie de mouches. Me sentant nerveux, Allard me tapote l'épaule.

— Allons, inutile de vous inquiéter.

— C'est pour vous que je m'inquiète. J'ignorais que le peuple vous haïssait à ce point.

— Vous voyez ? Finalement, vous ignorez encore des choses.

— J'étouffe sous ma cagoule. Puis-je l'ôter ?

— Je regrette mais, ici aussi, vous êtes anonyme.

— Que craignez-vous ? Que les morts révèlent notre opération secrète ?

Il me fait signe d'avancer. Nous marchons entre les corps, lesquels me fascinent. D'ordinaire, les gens comme moi n'entrent ici que pour y finir leur vie. Sur le trajet, de jeunes médecins. Certains recousent des torses, d'autres prélèvent des organes. Tous me regardent passer, intrigués par ma cagoule, puis retournent à leur labeur.

Allard me précède pour franchir une porte battante. Je me retrouve dans un amphithéâtre assombri. Au centre, sur une grande table éclairée par quatre bougies, deux petits corps recouverts chacun d'un drap. Ma gorge s'assèche, mon malaise s'accentue à la vue de Canler. Raide dans son manteau, un dossier entre ses mains gantées. À sa droite, un énorme médecin au tablier constellé de sang. Allard les rejoint.

— Bonjour, messieurs.

— Bonjour, monsieur Allard.

Canler ignore son supérieur. La preuve qu'il ne cautionne en rien ma présence, ce qui ne m'étonne guère. Le médecin se tourne vers moi :

— Qui êtes-vous ?

130

— Et vous ?

— Je suis le Dr Grivot.

— Et moi, l'invité surprise ! dis-je en fixant Canler.

Il ne dit rien, mais je le devine bouillant de rage. Ce Grivot me fixe, interloqué, n'étant pas dans la confidence. Aucun risque qu'il reconnaisse ma voix : pour l'entendre, il aurait fallu qu'il assiste à mon procès et je n'y ai vu que des notables et des journalistes. Allard lui fait signe de retirer les draps. Je découvre alors la tête d'une enfant, le corps d'une autre et celui d'un garçonnet, tous deux décapités.

L'horreur.

L'injustice.

Ma France.

Affligé, j'avale ma salive, étranglé par la puanteur. Finalement, ma cagoule est une aubaine. Le médecin respire nerveusement. Son souffle fait vaciller les flammes des bougies, qui ravivent le visage de la fillette. J'observe ses yeux exorbités, lorsqu'une mouche sort de sa narine droite. Écœuré, je la regarde se poser au plafond.

— Grivot, pourriez-vous retourner la tête, s'il vous plaît ?

— Pourquoi moi ?

— Parce que j'ai les mains liées et que, si je ne m'abuse, c'est votre travail.

— Quoi ? Non, mais…

— Faites ce qu'il dit, tranche Allard.

Grivot se résout à obtempérer. De ses mains tremblantes, il retourne la tête, la pose sur le cuir chevelu. Je me penche, concentré sur le cou mortifié. J'examine ensuite la main droite de l'enfant, puis celle de gauche.

— Est-il le seul à avoir été identifié ?

— Oui. Thibault Cotillon, sept ans, employé...

— ... dans un atelier de textile, dis-je en examinant les doigts, où résidait-il ?

— Quartier du Temple, mais on l'a trouvé dans le Ier, rue de Sartine.

Je me tourne vers la fillette, souffle sur les mouches pour les éloigner du corps. Je renifle ses pieds, à la stupeur du trio, observe les hématomes.

— Les bleus sont antérieurs à la mort.

— Qu'en savez-vous ?

— Dans la misère, il y a ceux qui boivent et ceux qui trinquent. Grivot, pourriez-vous lui essuyer la plante des pieds ?

Dérouté, il sort un mouchoir de sa poche. S'ensuit un raclement de gorge incroyable dont je redoute qu'il ne réveille les morts, après quoi il crache sur le tissu. Dégoût d'Allard et exaspération de Canler, toujours plus perceptible. Le médecin saisit les mollets d'une main puis, de l'autre, frotte la plante des pieds.

— Merci. Montrez-moi donc votre mouchoir.

J'examine de près le tissu et détecte quelques grains. Je les renifle, fermant mes paupières pour mieux analyser l'odeur.

— C'est du sel noir.

— Et alors ?

— Il ne se vend qu'aux Halles. Vous y trouverez des gens pour identifier cette malheureuse. Grivot, pouvez-vous allonger les corps sur le ventre ?

Il s'exécute avec réticence. À présent, je compare les dos des victimes. Chacun marqué de trois plaies, identiques à celles de mon crime. Même tracé, même profondeur. Le tueur est bien renseigné à mon sujet. Allard se rapproche.

— Alors ?

— Il les a tués en leur brisant la nuque, non en les décapitant.

— Mais…

— Les cervicales ne sont pas fendues, mais fissurées. Par le passé, j'ai eu l'occasion de craquer un cou. Un brigand, dans une forêt. J'y étais retourné pour observer son pourrissement et ses cervicales étaient exactement comme celles-ci.

— Un monstre, lâche Canler, vous êtes un monstre.

— Il paraît, oui. Pour en revenir au tueur, il n'a pas agi à mains nues. Vous voyez ces creux, au niveau des jugulaires ? Ils ressemblent aux points de pression exercés par un tourniquet à vis, de ceux utilisés pour comprimer les vaisseaux sanguins.

— Vous… vous pensez qu'il est médecin ?

— C'est possible. Dans tous les cas, je suis formel : la décapitation n'est qu'une mise en scène. Je présume que, depuis deux semaines, vous interrogez des bouchers ?

— Oui, ainsi que des menuisiers.

— Vous êtes dans l'erreur. Avez-vous quelque idée au sujet du tueur ?

— Je pense qu'il a été maltraité dans son enfance et…

— Il ne reproduit aucun traumatisme. Lorsque l'on tue pour exorciser une souffrance, on le fait en affirmant son identité, non en copiant un tiers.

— Qu'en savez-vous ? grogne Canler.

— Je ne fais que réfléchir. Vous devriez essayer.

Canler me prend par le col. Allard s'interpose, l'obligeant à me libérer. Son second me fixe durement avant d'obtempérer. Il s'éloigne, donne un coup de botte dans l'un des bancs. Le son résonne, effrayant le médecin.

— Heu… Monsieur Allard, si vous n'avez plus besoin de moi…

— Vous pouvez nous laisser.

Grivot ne se fait pas prier. Allard le regarde sortir, puis se tourne vers moi :

— Si ma théorie est fausse, quelle est la vôtre ?

— En imitant mes crimes, le tueur intellectualise les siens pour mieux vous tromper. Cela témoigne d'un esprit vif, stratégique.

— Et ?

— Avez-vous envisagé qu'il fasse partie de la police ?

— Vous êtes sérieux ?

— C'est une éventualité.

— Il ment ! enrage Canler. Il exècre notre corps et cherche à nous induire en erreur !

— J'ai dit que c'était possible, voilà tout. Mais je suis certain d'une chose : vu le degré d'intelligence du tueur, c'est un homme instruit.

— Instruit comme les riches, que vous haïssez également !

— Certes. Voilà, messieurs. À présent, j'aimerais sortir.

Allard marque un temps d'arrêt, lorgne les victimes et, après hésitation, accepte ma requête. Je l'en remercie d'un hochement de tête, quitte l'amphithéâtre. Canler souffle sur les bougies puis nous emboîte le pas.

Nous traversons la morgue sans échanger le moindre mot, chacun de nous étant perdu dans ses pensées quant au tueur. Grivot nous salue, son équipe nous regarde passer. Arrivé devant la porte, Allard retient sa respiration avant de se décider à ouvrir. Injures. Crachats. Pavés. Canler sort, traversant seul la foule déchaînée. Deux anonymes le bousculent, il riposte à coups de poing ; ceux qui m'étaient destinés. Allard, à voix basse :

— Après vous, Lacenaire.

— Merci... merci de prononcer enfin mon nom.

— Et merci de m'avoir aidé.

— J'ai fait de mon mieux. Si je puis me permettre, surveillez ce Dr Grivot.

— Pourquoi ?

— À aucun moment, il ne s'est ému que l'on soupçonne un médecin.

Je sors sous l'escorte des gendarmes. Devant, Canler se dirige vers la calèche...

… quand survient une explosion, apocalyptique. Les immeubles frémissent, les corps se tordent et se déforment dans une terreur suraiguë. La rue, le quartier s'enfument. Panique, de dispersions en bousculades.

« Vive Charles X ! À mort l'imposteur ! »

Un attentat, encore un. La revendication provient d'une fenêtre, quelque part. Au sol, le cheval s'enfuit, emportant la calèche qui se renverse sur des malheureux. Trois brigadiers leur portent secours, ils sont piétinés par la foule en délire. Paris devient fou.

Dans tout ce chaos, Canler, bouleversé, sort son pistolet et cherche Allard parmi les hystériques, les *pleurs. Cris. Hurlements. Et tandis que la fumée se dissipe, des morts. Des morts par dizaines. Là, un garde. Ici, une femme. Plus loin, un général, deux ouvriers et le maréchal Mortier. Carnage où personnalités et anonymes, notables et indigents gisent dans le même sang, réunis au-delà de leurs classes sociales.*

Quelque part, un cheval hennit et se cabre, blessé à l'encolure. Louis-Philippe tire sur les rênes, reprenant le contrôle, puis essuie son coude ensanglanté. Indemne, alors que tant d'autres ont succombé. Ses fils et trois gardes l'éloignent du boulevard, fendant un amoncellement de corps. L'un d'eux se relève. Sonné, l'homme balade son regard, de blessés en cadavres, et se fige. Horrifié à la vue d'une enfant. Cette fillette criblée de balles, dont la tête a été soufflée par les tirs. Traumatisé, Canler se ressaisit. Revient sur ses pas. Se fraye un passage, avant d'apercevoir Allard, au sol. Il se précipite, l'aidant à se rétablir.

— Où est Lacenaire ?

— Je… je…

— Reprenez-vous ! Où est-il ?

Allard, les lèvres tremblantes, est incapable de répondre. Canler cherche un abri du regard. Là-bas, le porche à l'entrée de la morgue. Il soutient son supérieur et le dirige de force. Trajet laborieux entravé de blessés. Arrivés sous le porche, Canler y assoit Allard.

— Restez là ! Je vais…

Il s'interrompt, voyant la porte ouverte. Au sol, deux paires de fers et une clef. Il s'engouffre à l'intérieur de la morgue déserte. Les médecins se sont tous enfuis, à l'exception de Grivot étendu au sol. Inconscient. Canler le secoue par le col.

— Lacenaire ! Où est-il ?

Grivot revient à lui, hagard, et lui indique l'amphithéâtre. Canler s'y précipite, tenant son arme à deux mains. Dehors, Allard prend appui contre le mur. Il se rétablit, prend conscience de l'ampleur du chaos. Canler réapparaît, fou de rage.

— Lacenaire a volé la tête !

— Quoi ?

— Voilà où nous conduisent vos amitiés douteuses !

— Comment savez-vous que c'est lui qui...

— Que vous faut-il de plus ?

Canler repart. Aidé de gendarmes et de brigadiers, il tente d'apaiser la foule. Adossé au mur, Allard accuse le coup. Le regard vide, il se met en quête d'un mouchoir pour essuyer son front transpirant. Il fouille sa poche droite et y trouve un papier.

> *Cher ami,*
> *Je suis sincèrement navré pour cette mise en scène et la terreur provoquée, mais la liberté est trop séduisante pour m'en détourner. Navré également d'avoir emporté la tête de cette enfant, mais elle m'est utile. Je vous invite à me retrouver demain soir, à minuit, à* La Culotte du Diable. *Venez seul, sans arme et dites « Vertige ».*
> *Lacenaire.*

La nuit s'abat sur Paris, meurtri par ce nouvel attentat. Lentement, elle drape les toits de la capitale jusqu'au ministère de l'Intérieur. Une porte s'ouvre et un homme sort. Allard, dépité. Le regard absent, il ignore les gardes et foule le trottoir, sa canne à la main. Une canne dont il a bien besoin, songeur, embourbé dans ses pensées. La colère de Gisquet, la décision de Thiers : suspension jusqu'à nouvel ordre.

Tête baissée, Allard arpente lentement la rue. Bondée et pourtant déserte pour cet homme plus que jamais isolé. Disgrâce pour lui et promotion pour Canler, nommé à la direction de la Sûreté.

28

18 décembre

Un nouvel attentat, dix-neuf blessés et la disparition d'un assassin notoire : la nuit a été longue
pour les Parisiens. Au terme d'une réunion de
crise avec ses ministres, Louis-Philippe a estimé
qu'il était temps d'apaiser son peuple et prépare
sa prochaine apparition publique, prévue à la
fin du mois. La première depuis l'attentat du
28 juillet, qu'il effectuera en toute sécurité à
bord de la Saverne, la berline blindée construite
pour Napoléon.

Sa nuit, Canler l'a passée à transférer ses
dossiers dans son nouveau bureau. Cette pièce
où Allard lui avait confié l'enquête. Il pense à lui,
aux agents dispersés dans tout Paris à la recherche
de Lacenaire. De ses contacts à ses complices
incarcérés, c'est toute la pègre qui est en ce
moment même harcelée. Descentes musclées,
mais aussi inspection des caves, greniers et
arrière-boutiques des quartiers Est, connus pour
avoir abrité le fugitif. Canler allume une cigarette,
lui qui jusqu'ici s'interdisait de fumer dans les
locaux, et consulte sa montre.

7 h 12

Il rouvre le dossier de l'enquête, qu'il reprend depuis le début. Il relit tous les interrogatoires, compare les rapports d'autopsie. Les pages, les cigarettes, les théories se succèdent. Le tueur lui apparaît tour à tour boucher, menuisier, transporteur et boxeur. Professions jadis exercées par des dizaines d'agresseurs de nuit.

10 heures

Canler explore ses fichiers, en particulier ceux des « scionneurs » connus pour des faits de grande violence : bagnards en fuite, militaires déserteurs, bourreaux désaxés... il étudie chaque profil, dressant une liste de seize suspects. Seize gauchers et autant de fausses pistes puisque, après vérification, aucun d'eux ne peut être l'assassin : tous sont soit incarcérés, soit morts, soit hospitalisés pour gangrène ou tuberculose.

1 heure de l'après-midi

Canler s'enfonce dans le siège. Le sien. Il va bien falloir s'y faire. Enfin, pas trop. Sa nomination est temporaire, Thiers cherchant un officier plus malléable. Il repart à l'assaut. Autres suspects : médecins et chirurgiens. Deux professions nécessitant des ustensiles susceptibles d'avoir servi au tueur.

2 heures

Il se rend à la faculté de médecine avec cinq de ses inspecteurs. D'archives en certificats d'aptitude, ils répertorient tous les docteurs en médecine de Paris, isolant ceux précédemment condamnés pour fausses ordonnances, vol de matériel, trafic et consommation d'opium, autant de signes de comportements déviants.

7 heures du soir

De retour à la Sûreté, aucun de ces suspects ne l'oriente vers le tueur. Canler allume une énième cigarette et réfléchit à nouveau. Mode opératoire. Datation des crimes. Similitudes avec ceux de Lacenaire. Disciple. « Coupeur de têtes. » Tête. Crâne. Phrénologue. Il marque un temps d'arrêt, puis ressort. Direction le cabinet du professeur Dumoutier, qui s'avère innocent. Entre le 3 et le 12, il était avec son assistant à Lyon pour une série de conférences. Après vérification, Canler repart, nullement inquiété à l'idée que Dumoutier porte plainte contre lui : son assistant étant également son amant, ce que Canler a su lui faire avouer, l'éminent phrénologue gardera secrète cette entrevue.

10 heures du soir

Enfoncé dans son siège, Canler fait le bilan de sa première journée à la direction de la Sûreté. Et il soupire, revenu dans la même impasse. Aucun suspect, aucun témoin. Rien. Éreinté, amer, il referme le dossier, va se poster devant la fenêtre, puis allume une dernière cigarette. Dehors, personne, dans cette rue d'ordinaire bondée. Pas même un chien errant. Si, quelqu'un. Cet homme vêtu de noir, au coin de la rue, qui l'observe. Encore. Toujours. Comme cette voix, au tréfonds de son cerveau.

29

La même nuit

Sa canne à la main, Allard traverse la rue, foulant la neige. Boueuse, comme son âme. Hanté par son déshonneur, il repense à cette journée insupportable passée à subir les assauts de son épouse. Ses reproches. Ses questions. Ses angoisses en le voyant si mutique, depuis hier. Ce n'est que ce soir qu'il s'est décidé à lui parler. Ce n'était pas prévu, mais elle l'a surpris en train de pleurer, avec leur fille dans les bras.

— *Pierre, je suis là. Je suis là et je vous aime.*

— *Je sais, ma chère... hélas, vous ne pouvez m'aider.*

— *Si. Mais pour cela, j'ai besoin que vous vous confiiez.*

— *Une autre fois, peut-être. Je dois sortir.*

— *Maintenant ? En cette heure si tardive ?*

— *Un ami m'attend. Du moins, je l'espère.*

Depuis, il arpente le quartier du Temple. Tête baissée, le visage masqué par le col de son manteau. Anxieux à l'idée d'être reconnu par les riverains. Bandits, violeurs, fugitifs... les démons du « boulevard du crime ». Le crime et sa pestilence qui espionne, chuchote, dépouille les morts et passe de main en main.

Allard accélère. Peur d'être identifié. Peur d'être lynché en symbole de l'autorité du régime. Tels ces policiers dont la presse relaye régulièrement les assassinats. Il dépasse un tripot, une maison de tolérance, un cabaret. Repères de la pègre devant lesquels s'esclaffent des soûlards. Tout peut encore arriver. Un coup, une lame. Penser à sa fille, si pure, et à son épouse qui lui ferait un scandale si elle le savait ici, au plus près de la tentation. Celle incarnée par cette femme, au corsage ouvert malgré le froid.

— Et si on s'caressait la couenne, toi et moi ?

Il l'ignore, contenant son excitation, rejoint le trottoir. Il enjambe un indigent étalé dans son vomi, puis croise un groupe d'enfants des rues qui le bousculent ; son cœur implose. Il poursuit son trajet, stoppé net par un cul-de-jatte tirant sur sa redingote.

— Eh, vieux ! Ça t'dit un *bogue* ?

De son autre main, il agite une montre. Allard, à cran, en profite pour regarder le cadran. 11 heures trois quarts. Le demi-homme revient à la charge :

— Allez ! J'te l'fais pour pô cher !

Allard se libère d'un revers de main et s'éloigne sous les insultes. Autres filles, même malaise. Il évite une rixe entre deux marins et arrive enfin à *La Culotte du Diable*. Situé au 44, ce cabaret attire autant qu'il effraye. La rumeur dit qu'entre deux spectacles de danse, il s'y déroule des orgies, des lectures de poésies et des débats politiques. Il devrait être fermé, ce qui n'est jamais arrivé depuis sa création en 1827. À cela, il y a une raison, ou plutôt un mot : corruption. Il est vrai que Gisquet est un habitué et que, toujours selon la rumeur, il s'y fait appeler « Lola ».

À ce jour, Allard ne connaît de *La Culotte du Diable* que l'adresse, la réputation sulfureuse et la description qu'en a faite Canler après l'arrestation de Pisse-Vinaigre. Allard n'a jamais gravi ses trois marches. Il n'a jamais franchi son porche. Il n'a jamais tapé un coup, puis trois autres contre la porte, ornée d'un pentacle. Jusqu'à maintenant.

Il attend, songe à Lacenaire – « Venez seul, sans arme et dites "Vertige" » – lorsque le pentacle coulisse. Un regard apparaît, une voix rocailleuse demande :

— J't'écoute !

— Hum... heu... « Vertige ».

Le verrou claque, la porte s'ouvre sur un colosse au torse nu, coiffé d'un foulard noir. Allard songe à s'enfuir mais il est déjà entré. L'homme referme, le fouille énergiquement. Gilet, pantalon, tout y passe. Allard contient son indignation et le colosse lui cède le passage. Allard avance, ébloui par les dorures et les lustres de cristal. Des clients hilares assistent à trois spectacles répartis sur trois scènes : un illusionniste, une représentation de Guignol, un numéro de cancan donné par des siamoises. Leurs jambes s'agitent, leurs quatre seins s'entrechoquent et les gens applaudissent. Et Guignol martèle le gendarme, aggravant le malaise d'Allard. Il recule...

— Biiiienvenue à *La Culotte du Diaaaable* !

… et bute contre un nain en costume de M. Loyal, rouge et noir. Le visage paré de longues bacchantes, il ôte son chapeau et opère une révérence.

— Monsieur Allaaaard ! C'est un honneuuuur de vous recevoir ! Que puis-je pour vouuuus ?

— Je… « Vertige ».

— Hé, hé, héééé !

Le nain claque des doigts. Deux femmes apparaissent, noires et nues. Allard est bouche bée. Elles le débarrassent de son manteau, son haut-de-forme, sa canne, avec des gestes sensuels, et le dirigent dans le salon. Il se laisse faire, envoûté, et se retourne pour observer le nain, gesticulant sur une musique inexistante. Vision insolite, comme la présence de Victor Hugo et d'Alfred de Musset. Ici, en ce lieu de perdition, où il aperçoit également Jeanne Deroin. L'ouvrière qui s'est fait remarquer avec ses écrits contre ce qu'elle nomme « l'assujettissement de la femme ». Allard connaît, son épouse lui en a parlé.

La suite est un escalier rouge dont la rampe, serpent aux écailles de rubis, les mène à la coursive. Senteurs de vin et d'opium. Chambres ouvertes sur des hommes avec des femmes, des hommes avec des hommes, des femmes avec des femmes. Allard a chaud dans sa redingote. Une danseuse surgit, ivre, coursée par un militaire. Tricorne, nez pointu, uniforme prussien : oui, c'est le célèbre baron de Münchhausen, dont on dit qu'il a voyagé sur un boulet de canon et marché sur la Lune. Des bêtises, bien qu'il ait réellement existé. Or, il est censé être mort au siècle dernier. Un mystère dont Allard s'éloigne, conduit devant la dernière porte. Les vénus le libèrent et s'évaporent.

Le ventre noué, il se décide à tourner la poignée. La porte grince et s'ouvre sur une pièce obscure, meublée d'une armoire, de fauteuils et d'une table ronde, sur laquelle repose un crâne dominé par une bougie éteinte. Au mur, un grand tableau : *Le Sabbat des sorcières*, de Goya. Et ces yeux jaunes, dans la pénombre. Beaucoup. Partout. Deux d'entre eux s'approchent, révélant un chat noir. Il ronronne à ses pieds, lorsqu'une voix féminine intervient :

— Fermez la porte, monsieur Allard.

— Où êtes-vous ?

— Ici, répond la voix en provenance du tableau, où s'anime une silhouette.

Éberlué, il la regarde passer du mur à l'un des fauteuils, où elle s'installe gracieusement. La femme approche une main de la bougie. Son pouce et son index pressent la mèche qui étincelle. Allard sursaute en découvrant son interlocutrice. Ses yeux verts, détourés de pourpre, ses lèvres pulpeuses, sa longue chevelure rousse aux mèches ornées de perles, sa robe noire au décolleté hypnotique, révélant un grain de beauté sur le sein gauche. Allard est statufié par le désir et l'effroi.

— Qui... qui êtes-vous ?

— Je suis Vertige.

— Mais...

— Pourquoi ce nom ? N'est-ce pas ce que vous ressentez en ma présence ? Allez, soyez aimable de refermer la porte.

Il avale sa salive, s'exécute et frémit...

… en me voyant face à lui. Moi, Lacenaire. Il était temps que je revienne, non ? Je tire sur ma pipe, ajuste ma redingote, puis mon pantalon, tous trois volés dans un commerce.

— Lacenaire !

— Comme prévu. Heureux de vous revoir, cher ami. N'avez-vous pas été suivi ?

— C'est vous que l'on recherche ! Et ce faux attentat ! Il aurait pu y avoir des morts !

— Je devais fuir pour enquêter sur le tueur.

— Navrée de vous interrompre, intervient Vertige, mais nous allons commencer.

— Commencer quoi ? demande Allard.

Elle traverse la pièce au son de ses cheveux traînant sur le plancher. Je m'installe dans l'un des fauteuils. Allard hésite, puis fait de même.

— Puis-je savoir ce que vous avez fait de la tête de l'enfant ?

— Nous y venons, cher ami.

Le chat saute sur mes cuisses. Tandis que je le caresse, Vertige ouvre son armoire, saisit un verre et deux bouteilles. Absinthe et laudanum. Nerveux, Allard la regarde se baisser pour déverrouiller un coffre-fort. Elle sort un paquet enveloppé d'un foulard, le pose sur la table et retire le tissu, dévoilant la tête de la fillette. Les yeux toujours exorbités et la bouche ouverte, mais au teint désormais cireux. Allard est horrifié.

— J'ai dû l'embaumer pour retarder son pourrissement. Il faut ménager les morts, ils ont bien des choses à nous raconter.

Elle dépose un sucre dans une cuillère, en équilibre sur le verre, et l'arrose d'absinthe, remplissant le verre à moitié. Cinq gouttes de laudanum, un claquement de doigts et le sucre s'embrase. Allard cherche une explication auprès de moi. Je lui réponds par un rictus, puis nous observons la fonte du sucre. Vertige le mélange à l'absinthe, avale le tout. Les paupières closes, elle place ses mains au niveau des oreilles de l'enfant. Ses mains se mettent à trembler. Le chat se tasse sur mes cuisses.

Kssss !

Le félin saute pour se réfugier sous l'armoire avec les autres.

Kssssssss !

Leur réaction s'intensifie à la vue de leur maîtresse.

KSSSSSSSSSS !

Les tremblements se propagent de ses doigts à ses bras, puis à son corps tout entier. Ça y est, mon amie est en transe. Haletante, le front perlé de sueur. Ses paupières se rouvrent, révélant ses yeux révulsés. Allard se cramponne aux accoudoirs. Les lèvres de Vertige s'écartent et libèrent une voix d'outre-tombe :

— *Les... les enfants... les pièces... les têtes...*

— Lacenaire ! Que se passe-t-il ?

— *Allard, personne d'autre que vous n'est à même d'enquêter sur cette affaire.*

— C'est la voix de Gisquet ! C'est ce qu'il m'a dit !

— *Cessez de faire l'enfant et aidez-nous à trouver l'assassin.*

Allard blêmit davantage à l'écoute de sa propre voix. Retranchés sous les meubles, les chats ne reconnaissent plus leur maîtresse...

— *J'ai besoin que vous examiniez les corps.*

— *Je vous le répète, c'est non.*

... qui épouse à présent mes mots. J'avais beau m'y attendre, j'en suis stupéfait. Instant troublant, où je me sens dépossédé de moi-même...

— *Vous voulez que j'espionne M. Allard ?*

— *Disons plutôt observer.*

... tandis qu'Allard est déstabilisé, pour avoir reconnu Canler. Lui et Gisquet, unis par la même perfidie. Enfiévrée, Vertige retrouve ma voix...

— *C'est du sel noir.*

— *J'ai déjà déserté, je ne le ferai plus. Quand on a été, comme moi, un pauvre diable réduit à vivre à quarante sous par jour, on a toujours un couteau dans sa poche.*

... suivie d'une autre, inconnue. Je me tourne vers Allard, tout aussi dérouté, meurtri par la trahison de Canler. Vertige entame alors un monologue...

— *Au fond, j'ai toujours pensé que, dans les révolutions, le mal l'emporte sur le bien. Sans être des mieux placés pour évoquer cet aspect des choses, je trouve qu'elles font quand même couler trop de sang.*

... qui m'est familier : il s'agit du mien, au dernier jour de mon procès. Je divague, bercé par mes mots, retrouvant le banc des accusés...

— *Mais sachez que j'ai encore moins de considération pour l'imbécillité de la monarchie, présente et passée ! Et là, vous voyez bien que je me suicide ! Parlerais-je ainsi, vous offenserais-je de la sorte, me mettrais-je à dos ces braves bougres bien-pensants, si je ne tenais absolument à me faire donner la mort ?*

... face à mon public, parmi lequel je reconnais Allard, Canler, Reffay de Lusignan ou encore cet idiot de Dumoutier. Et tous ces notables...

— *En tout cas, je ne laisserai jamais dire que j'ai tué au nom d'idéaux ou de principes ! Il n'y a pas moins doctrinaire que moi ! Seule m'a guidé l'observation raisonnée de mes contem-*

porains ! Elle seule a fini par me persuader que le mieux qui me restait à faire était de leur tirer ma révérence ! En y mettant, si possible, un peu d'éclat ! Eh oui, messieurs ! Je n'ai égorgé que pour vous contraindre à achever mon suicide ! Et vous y voilà forcés ! J'arrive à la mort par un mauvais chemin, j'y monte par un escalier ! Mais, bon Dieu, j'y vais !

... et cet homme, au dernier rang, le visage assombri par un haut-de-forme. Sur son buste, en partie dévoilé par sa chemise entrouverte, j'entrevois un tatouage. Deux oiseaux de feu – *Boum !* Je sursaute, découvre Vertige au sol. Inconsciente, prise de convulsions. Allard est médusé, enfoncé dans le fauteuil. Les chats réapparaissent et se réunissent autour de leur maîtresse. Leurs langues s'acharnent sur elle, atténuant peu à peu ses spasmes. Je les repousse, colle mon oreille contre sa poitrine. Rassuré, je lui caresse le visage. Vertige bat des cils et se réveille enfin.

— Ma chère, comment vous portez-vous ?

— Bien. Comment étais-je ?

— Parfaite, comme toujours.

— Votre ami est-il également satisfait ?

Allard acquiesce de peur de la contrarier. Elle démêle ses cheveux couverts de sueur.

— À présent, messieurs, veuillez me laisser. J'ai besoin de me reposer.

— Bien sûr, ma chère. Merci encore.

Je lui baise la main. Allard s'empresse de franchir la porte et m'attend sur la coursive, les mains appuyées sur la rambarde. Tête baissée, encore sous le choc. Je le rejoins, gratte une allumette, ravive le foyer de ma pipe. Allard parle sans me regarder :

— C'est… c'est l'œuvre du Diable.

— Moi, j'appelle cela un don et tout ce qu'elle nous a dit est crucial.

— Allons ! Une sorcière adepte du laudanum !

— Vertige est l'une des personnes les plus sensées que je connaisse.

— Et les plus bavardes. Toutes ces voix…

— La mienne était omniprésente, ce qui confirme que je suis au cœur de l'affaire.

Il soupire, observe la clientèle composée de peintres et de moines ivres. Une bouffée de tabac, et je poursuis :

— J'ai entrevu l'assassin.

— Quoi ?

— Il possède un tatouage. Deux oiseaux de feu enlacés. Il a du goût, ce n'est pas un simple tueur. Cela m'est apparu lorsque Vertige a évoqué les pièces, au début.

— Soyez clair, je vous en prie.

— Telle une pièce, un assassinat – si ambitieux soit-il – n'a que deux facettes : intellectuelle et physique. C'est un crime qui se pense et s'accomplit. Les décapitations étant une mise en scène, cela prouve que le tueur insiste sur la chair pour vous éloigner de toute raison. Sa cause n'est qu'intellectuelle et je vous promets de la découvrir.

— Promettez-moi plutôt de vous rendre.

— Je ne le ferai qu'après avoir identifié celui qui ose m'imiter. Et ce jour-là, je vous remettrai une lettre signée de ma main, destinée à vous disculper quant à mon évasion.

154

Du regard, je survole le cabaret et m'attarde sur l'illusionniste. Il sort plusieurs lapins de son chapeau. Tous lui échappent et envahissent l'autre scène où les siamoises ont fait place à une lecture de l'*Iliade*. Allard s'adresse de nouveau à moi :

— Quelle était cette longue phrase ? « *J'ai déjà déserté, je ne le ferai plus. Quand on a été, comme moi...*

— ... *on a toujours un couteau dans sa poche.* » J'aurais pu dire cela.

— Je n'ai pas reconnu la voix.

— Moi non plus. Peut-être est-ce celle du tueur.

— Sans doute.

— « *J'ai déjà déserté.* » Vous devriez enquêter du côté des militaires. Si je ne m'abuse, Canler est un ancien soldat de l'Empire.

— Et ?

— Méfiez-vous de lui.

— Comment osez-vous le soupçonner ?

— Nous avons tous deux reconnu sa voix.

— Certes, mais là, ce n'était pas la sienne.

— Il me hait. C'est lui qui m'a traqué, arrêté, interrogé. Il sait tout de moi, à l'instar du tueur. Avez-vous déjà décelé chez lui une attitude étrange ?

— Non. Il est parfois violent, mais je connais sa dévotion envers la loi, il ne peut pas être le tueur. Il est juste un peu... il a connu un épisode douloureux, c'est tout.

— Ah. Quoi donc ?

— L'attentat, cet été. Il y était et s'est retrouvé au milieu des corps. Parmi eux, il y avait une enfant, la malheureuse a eu la tête soufflée par les tirs et...

Allard s'interrompt. Je sais pourquoi, puisque nous avons la même pensée : cette fillette décapitée, dans ce carnage sans précédent. De quoi déclencher une folie meurtrière. Je tape sur l'épaule d'Allard.

— Mon ami, je crois que vous tenez enfin le tueur.

— Non, c'est impossible !

— Réfléchissez et vous verrez que j'ai raison.

— Il suffit ! Vous cherchez à me manipuler !

Il rejette ma main, m'abandonne sur place. Je le rattrape et nous marchons côte à côte dans un silence pesant, interrompu par les coïts environnants. Je songe à les commenter afin de détendre l'atmosphère, mais non. Nos pas nous conduisent devant le fumoir d'opium à l'entrée duquel je m'arrête.

— Nos chemins se séparent ici, je vais aller « chasser le dragon ». Une calèche vous attend et vous reconduira à votre domicile. Le quartier est dangereux.

— Merci… Lacenaire, de grâce, rendez-vous.

— Je le ferai. Je tiens plus que jamais à la guillotine et je dois achever mes *Mémoires*. D'ailleurs, pourriez-vous les récupérer ? Ils sont au sol, dans mon cachot.

— Je vais essayer. En attendant, qu'allez-vous faire ?

— Je vous l'ai dit : cette nuit, « chasser le dragon » et demain, l'assassin.

— Dans ce cas… À bientôt.

— À bientôt, mon ami. Prenez soin de vous.

Je le regarde descendre les marches avec la lenteur d'un homme acculé. Il rejoint le salon, étranger à l'exaltation des clients. Le gérant le salue, il l'ignore également, récupérant ses affaires. Le colosse lui ouvre l'accès, Allard boutonne son manteau et se fige. Il hésite à se retourner pour m'adresser un dernier regard, ce qu'il ne fait pas. La porte se referme sur ma peine de l'avoir vu si meurtri.

Je pénètre enfin dans la pièce, m'abandonnant à son épaisse fumée. J'y devine une dizaine d'âmes perdues, allongées sur des banquettes. Des mains de femmes, fines et laiteuses, m'accueillent. Retirent ma redingote. Déboutonnent mon gilet. Entrouvrent mon col. M'allongent sur du cuir et me tendent une longue pipe. Tout est déjà prêt, je n'ai qu'à savourer. L'opium transite par mes poumons et ressort entre mes lèvres pour s'en aller danser au plafond autour d'une lanterne. Sa ronde s'illumine, se déforme, se scinde en oiseaux de feu.

31

Aujourd'hui encore, à l'instar de toutes les rédactions, celle du *National* est en ébullition. Par ferveur républicaine, et pour oublier ses problèmes quotidiens. Depuis la « machine infernale » de Fieschi, les députés ont voté des lois visant à faciliter les condamnations et à extorquer des cautions exorbitantes. Si *Le National* a survécu, c'est au prix d'une autocensure douloureuse pour l'un de ses fondateurs, Armand Carrel.

Un jeunot, le crayon sur l'oreille et une feuille à la main, traverse les bureaux jusqu'à celui du directeur. Il cogne contre la porte à deux reprises.

— Quoi ? tonne une voix rauque.

— C'est Jacques, monsieur Carrel.

— Eh bien, entrez !

Le rédacteur entre et se fige, sidéré. Dans le bureau, assis en face de son supérieur, Philippe Buonarroti. Le fougueux révolutionnaire, le disciple de Babeuf. De ce grand inspirateur, il ne reste aujourd'hui qu'un vieil aveugle amaigri par la maladie. Jacques le salue timidement. Buonarroti lui répond en levant une main arthritique. Le jeune homme avance d'un pas.

— Navré de vous déranger, monsieur Carrel.

— Pensez-vous ! Nous débattions de ces naturalistes qui parlent de races.

— À la base, dit Buonarroti, nous évoquions surtout Voltaire.

— De grâce, mon ami, cessez d'insister ! Voltaire a été un si grand homme, il peut bien avoir déclaré quelques bêtises !

— Tout de même, son regard quant aux nègres...

— Des bêtises, je vous dis.

— « Leurs lèvres toujours grosses, leurs oreilles différemment figurées, la laine de leur tête, la mesure même de leur intelligence mettent entre eux et les autres espèces d'hommes des différences prodigieuses. » Ces propos ne sont pas des bêtises, mais des outrances !

— Certes, mais...

Carrel s'interrompt, incommodé par la présence de son collaborateur.

— Qu'y a-t-il ? Du nouveau sur l'attentat ?

— Non, monsieur. La police poursuit ses arrestations chez les carlistes.

— Et Lacenaire ?

— Toujours introuvable. Je venais vous montrer mon article, monsieur.

Il lui tend son papier. Carrel le récupère et, découvrant le titre, le lui jette au visage.

— « Gisquet change de bouclier » ! Vous voulez qu'on ferme boutique ou quoi ?

— Mais... c'est vous qui m'aviez dit d'être audacieux, alors...

— Audacieux, pas suicidaire ! Changez-moi ça en « Gisquet cherche un successeur à Allard » ou « Canler chef provisoire de la Sûreté » ! Tout, sauf un brûlot qui nous attirera un procès !

Déçu, Jacques se baisse pour ramasser l'article. Il réajuste ses lunettes, salue les deux hommes et se retire. La porte refermée, Carrel et Buonarroti reprennent leur conversation. Il y est question de Voltaire, encore, mais aussi du roi et de ses ministres. Tous sont critiqués, en particulier Thiers. Le traître, avec lequel Carrel avait fondé son journal. Une cigarette plus tard, on cogne à nouveau contre la porte.

— Quoi ?

— C'est Hortense. Il y a quelque chose pour vous, monsieur Carrel.

Une vieille femme entre, le cou noué dans une écharpe. Elle salue Buonarroti, remet un paquet à son supérieur. Un colis emballé dans du papier rouge, enrubanné d'or. Surpris, Carrel échange un regard avec son vieil ami. Il défait le ruban, déchire l'emballage, ouvre… et sursaute. À l'intérieur de la boîte, la tête d'une enfant. Jaunâtre. Putréfiée. Grouillante de mouches. Sur son front purulent est collée une petite carte, sur laquelle est écrit :

Cher monsieur Carrel,

Votre journal étant le premier à m'avoir baptisé, j'ai grand plaisir à vous offrir ce modeste cadeau. Vu les difficultés de la Sûreté en matière d'identification, je vous en révèle l'identité : Madeleine Lecailleux, domiciliée au 66 rue Montorgueil et tuée par mes soins dans la nuit du 1ᵉʳ décembre. Par ailleurs, je profite de cette occasion pour vous informer que d'autres surprises vous attendent dans la fontaine des Innocents.

Votre dévoué « coupeur de têtes »

32

Sitôt alerté, Canler s'est rendu au siège du *National* pour récupérer le colis sordide. Après examen, le Dr Grivot a certifié qu'elle appartenait au premier corps. Quant à la lettre, elle a été transmise à Berthold Lamard, célèbre éditeur et émule de Camillo Baldi, afin qu'il analyse l'écriture.

En attendant ses conclusions, Canler s'est rendu dans le Ier arrondissement avec deux agents, direction la fontaine des Innocents, où ils ont trouvé la tête de Thibault et le corps d'un autre enfant, à nouveau marqué de trois plaies.

Canler s'est ensuite présenté seul au 66 rue Montorgueil, l'adresse de Jean et Huguette Lecailleux, employés à la manufacture des Gobelins, qui lui ont fait part de la disparition de leur fille Madeleine le 1er décembre, confirmant les dires du tueur.

C'était il y a deux jours et depuis, il n'a pas quitté son bureau. Cloîtré, au grand dam de son épouse. Deux jours qu'il est assailli d'innombrables pensées. Quand l'une disparaît, une autre la remplace ; des bulles à la surface d'une marmite bouillonnante. Des bulles par milliers et autant de visages, ceux d'une centaine d'assassins interrogés. Et toujours rien. Et Lacenaire, toujours en fuite. Il reprend la chronologie des crimes.

2 décembre : Tête d'une fillette
(victime n° 1).
3 décembre : Corps de Madeleine
(victime n° 2).
10 décembre : Corps de Thibault
(victime n° 3).
19 décembre : Têtes de Madeleine
et de Thibault. Corps d'un autre garçonnet
(victime n° 4).

Deux victimes reconstituées et deux non identifiées, en attendant les suivantes. Car il y en aura d'autres, Canler le sait. Il le sent. Cette voix, cette migraine, ce tueur qui revendique désormais ses actes et nargue la Sûreté. Un affront de trop pour Thiers, lequel a entre-temps instauré des mesures radicales : extension du couvre-feu d'une heure pour les enfants ; obligation de signaler tout comportement suspect ; doublement des patrouilles dans les quartiers Est.

Appliquée il y a une heure, cette dernière mesure donne déjà lieu à des altercations entre brigadiers et agents. Une guerre fratricide qui pourrit davantage l'atmosphère. Canler pourrait intervenir, rappeler les effectifs à l'ordre, mais n'en a pas la force. Il tire sur sa cigarette, observe sa main. Tremblements, encore. Il serre son poing, repense à Lacenaire – « C'est du sel noir » – et se résout à faire ce qu'il refusait jusqu'ici : planifier une arrestation. Une opération de grande envergure. La plus grande de toute sa carrière. Aussi grande que les Halles de Paris.

Rien que d'y penser, il est déjà éreinté. Alors, avant de s'y atteler, il décide de faire une pause. Courte, mais essentielle. Car il sait. Il sait qu'il l'attend, dehors. Il se lève, marche jusqu'à la fenêtre et – cette nuit encore – aperçoit l'homme en noir au coin de la rue. Sans le quitter des yeux, Canler avale une bouffée de tabac. La fumée ressort par ses narines, et il disparaît dans la brume.

33

22 décembre,
rue des Prouvaires

Blanc.
Et petit.
Tout petit.
Il tombe, le flocon, tournant sur lui-même. Sa chute gracieuse le rapproche des pavés, lorsqu'une brise le reprend au vol. Et le voilà qui visite le quartier, de réverbère en voirie, pour mourir aux pieds de Canler. Au milieu de la rue, les bras croisés, une cigarette aux lèvres.

Devant lui, ses vingt et un inspecteurs coiffés de casquettes et vêtus de tabliers. Tous déguisés en livreurs, prêts à infiltrer les Halles. Le cœur du commerce parisien, étendu à travers tout le Ier arrondissement. Une ville dans la ville : 40 000 mètres carrés de vente, 30 000 visiteurs par jour et peut-être quelqu'un pour reconnaître la petite Madeleine dont Canler a fait imprimer le portrait pour chacun de ses hommes.

Ils attendent les ordres, subissant le froid. Parmi eux, les inspecteurs Minville et Mathieu. Deux binoclards, devenus amis après avoir longtemps enquêté sur la haute pègre. Minville, à voix basse :

— Merde… il neige.

— C'est mon fils qui va être content.

— Le chef, lui, tire la gueule.

— T'es pas au courant ? La lettre adressée à Carrel, c'est l'écriture de Lacenaire.

— Sérieux ? Comment tu le sais ?

— Je l'ai lu dans le *Journal des débats*. Lamard est formel et…

— Silence ! intervient Canler.

Ils se taisent aussitôt. Dans la rue apparaissent deux hommes. L'inspecteur principal Bélair, responsable de la réglementation des Halles, et le célèbre M. Herry, de la direction des Affaires municipales. Ils arpentent la rue, pestant contre la neige, puis rejoignent Canler et échangent poignées de main et salutations.

— Nous sommes prêts, dit Bélair.

Bélair et ses effectifs : un sous-inspecteur, neuf vérificateurs, quatre-vingt-quatre préposés, quarante et un peseurs, dix-sept gardiens et surveillants de marché. Soit un total de cent cinquante-deux agents chevronnés, qui s'ajouteront à ceux de la Sûreté. Canler consulte sa montre. 7 heures 2 minutes. Un regard, et ses hommes se dispersent dans les Halles. Quinze périmètres, quinze immersions.

Bélair se dirige vers la halle aux viandes. Canler jette sa cigarette, l'écrase d'un pied ferme et s'éloigne à son tour. Il le sait, sa crédibilité à la tête de la Sûreté se joue maintenant. Discrétion totale, donc, les Halles étant le lieu de tous les trafics. Au moindre faux pas, les commerçants se passeront le mot et l'opération virera au fiasco.

Canler franchit la porte. Il a beau connaître le lieu, il le redécouvre dans un vertige. D'abord, l'atmosphère : senteurs mêlées de chair, d'acier et de tabac. L'odeur de la France qui se lève tôt, très tôt, et se couche tard, très tard. Ensuite, le bruit : boucan incroyablement dissonant, comme si toutes les langues de Babel s'affrontaient ici. Puanteur et cacophonie, l'haleine et le cri de ce monstre que sont les Halles.

Chaleur oblige, Canler défait son col, bousculé par la foule. « Quatre-vingts centimes le poulet ! » Il cherche ses hommes. « Ils sont bons mes boudins ! » Mais ne voit que des clients. « Soixante centimes le demi-kilo de porc ! » Des fraisiers découpant des langues de bœuf. « Le veau, c'est ici ! » Des cabocheurs fendant des gueules de mouton. « Cinquante centimes le pigeon ! » Il se fraye un passage, dévisageant chaque boucher, charcutier, tripier, mandataire, facteur, balayeur.

Au détour d'une rôtissoire, Canler reconnaît enfin l'un de ses hommes. L'inspecteur Belmond longe des dizaines de cageots empilés. Derrière se tient une femme, du moins ce qu'il en reste après une vie de labeur.

— Bonjour, madame.

— Bonjour, m'sieu ! Qu'est-ce que j'vous sers ?

Il examine ses volailles grouillantes de mouches, ses énormes sacs d'épices. L'un d'eux est rempli de sel noir. Belmond sort discrètement le portrait.

— Avez-vous déjà vu cette enfant ?

— Non. Faut vous dépêcher, y a du monde derrière !

— Regardez bien, madame.

— Vous... vous êtes de la police ? Je suis en règle, m'sieu !

— Inutile de vous inquiéter. Reconnaissez-vous cette enfant ?

Elle examine le portrait. Derrière Belmond, des gens s'impatientent. Heureusement, le marchand d'en face capte leur attention avec ses rognons. L'inspecteur insiste :

— Alors ?

— Non, ça me dit rien. Désolée, m'sieu.

— Bon, merci. Ne dites rien à personne ou je contrôle le réglage de votre balance.

La femme blêmit, retourne à sa marchandise. Le policier range le portrait et s'éloigne, reposant les mêmes questions un peu plus loin, à l'instar de ses confrères.

Halle aux poissons.

— Avez-vous déjà vu cette enfant ?

— Non, m'sieu.

Halle au beurre.

— Avez-vous déjà vu cette enfant ?

— Ça m'dit rien, m'sieu.

Halle au blé.

— Avez-vous déjà vu cette enfant ?

— J'sais pô. Vous savez, avec le monde qui passe ici...

Deux par deux, les policiers poursuivent inlassablement leur enquête. Parfois, un client tend l'oreille. Il est aussitôt fusillé du regard par un agent. Ou par Canler lui-même. Deux heures que ce dernier passe de galerie en galerie, supervisant le déroulement de l'opération. Et la chaleur devient fièvre. Et la fièvre devient fournaise. Et la fournaise s'intensifie, empuantie de harengs, de fromages, d'artichauts et de friture.

Mais Canler résiste. Son tour achevé, il regagne le périmètre des viandes, se heurtant à davantage de monde. Orgie de cris et de bruits démentiels. Il observe. Reconnaît des fugitifs fichés à la Sûreté. Voit des balayeurs voler des vendeurs, des vendeurs berner des commerçants, des commerçants escroquer des clients. Les Halles et leur tradition du vice vieille de huit siècles.

10 heures passées. Canler croise sans le voir l'inspecteur Minville, en sueur. L'affluence, mais aussi les becs de gaz éclairant la voûte. Écarlate, le jeune officier passe sans entrain d'une marchande à une autre, dont le mari, en retrait, jette des couennes dans une chaudière. Il s'en dégage une forte odeur de suif, infâme, qui ne semble pas déranger le tripier d'à côté. Minville, les yeux irrités :

— Bonjour, madame. Avez-vous déjà vu cette enfant ?

— Non, m'sieu.

— Vous êtes sûre ?

— Mm… attendez… Louis ! Viens donc voir !

Son mari referme la chaudière. Leur chien, couché sur une couverture noire, le suit du regard jusqu'à Minville. L'homme le salue, puis s'adresse à son épouse :

— Qu'est-ce qu'il y a ?

— Ce serait pô la p'tite Madeleine ?

— Heu… non.

— Mais si ! Regarde bien !

— C'est pas elle, je te dis. M'sieu, vous êtes de la police ?

— Oui, mais n'ayez crainte. Madame, connaissez-vous cette enfant ?

— Des fois, on la laisse peser. Ça nous aide et ça lui fait une 'tite pièce. Pourquoi ?

— En sa présence, avez-vous déjà remarqué quelqu'un au comportement suspect ? Par exemple, un homme qui...

Il s'interrompt, médusé. Car le chien s'est dressé sur ses pattes. Et la couverture au sol est en fait un manteau, long et ample. Col large. Manches retroussées. Le manteau du « coupeur de têtes », là, devant lui. Avec ses énormes pectoraux, ses bottes tachées de sang et ses hachoirs alignés sur la table. Le temps se fige. Minville oublie le brouhaha, l'odeur de suif, tout. Désormais, il n'y a plus que lui et ce colosse au regard perçant. Il se lance, le cœur battant :

— M... monsieur, je vous prie de me suivre.

— Non.

— C'est un ordre.

— J'ai dit « non ».

Minville le saisit par le bras. L'homme le repousse, l'envoyant contre un livreur. Celui-ci s'insurge, prend le policier à partie. Les éclats de voix attirent l'attention de nombreuses personnes dont Canler. Bousculé. Il s'arrête de marcher. Bousculé. Tourne la tête. Bousculé. Découvre la scène. Bousculé. Reconnaît son inspecteur. Bousculé. Voit détaler le boucher. Canler s'élance, fendant la foule, contourne les cageots et intercepte le fuyard.

— Reste là !

— Mais...

Il se tait sous la pression du pistolet contre son abdomen. Son épouse, bouleversée, se rapproche. L'inspecteur réapparaît, à bout de souffle.

— Désolé, chef.

— Que s'est-il passé ?

— Il a feint de ne pas reconnaître la petite, alors qu'elle travaillait pour eux. Sa femme me l'a confirmé. Regardez son attirail, son manteau.

— J'ai rien fait ! dit le boucher, et puis…

— La ferme. Minville, où est votre collègue ?

— Il arrive.

— Bien. Faites sortir cet homme. Je vous rejoins dans une minute.

L'inspecteur acquiesce et dirige le boucher vers la sortie. Son épouse, paniquée, se précipite vers eux. Canler s'interpose :

— Du calme, madame.

— M'sieu ! Mon Louis, il a rien fait !

— Un mot de plus et je brûle votre marchandise.

La femme capitule, les larmes aux yeux. Interpellée par un client, elle se décide à regagner son poste. Canler, lui, balade son regard. Hormis l'épouse et le tripier, personne n'a prêté attention à la scène. Une sacrée chance. Il regagne l'allée principale où, à une centaine de mètres, Minville escorte le boucher à travers la foule, poussant son prisonnier d'une main ferme.

— Allez, avance !

— Mais j'ai rien fait, m'sieu !

— Alors, pourquoi t'as fui ?

— Ben, c'est qu'on a trafiqué not' balance… mais on n'est pas les seuls, hein !

— Et pourquoi t'as menti au sujet de la petite ?

— Je l'ai pô reconnue, c'est tout !

— C'est ça, oui. Et ton manteau ?

— Hein ? Ah ! C'est pô à moi, c'est au tripier d'à côté ! Not' chien s'est…

Minville s'arrête net. Il se retourne, croise le regard du tripier, au loin, à travers le chassé-croisé des visiteurs. Le cœur battant, l'inspecteur scrute la foule à la recherche de son équipier, en vain. Livré à lui-même, il se tourne à nouveau vers le tripier… qui a entre-temps disparu.

Il libère le boucher, arme discrètement son pistolet et revient sur ses pas à contre-courant. Il veut courir mais ne peut que marcher. Il presse le pas, dévisageant chaque individu. Les faciès s'enchaînent et se confondent dans un délire de sueurs et d'épices. Son esprit divague, des Halles au Maroc jusqu'en Inde. Mahavishnu. Des oiseaux de feu, un peu partout, et le tripier au loin. L'homme tente de forcer une porte. Minville accélère, repousse les gens de toutes ses forces. On le fustige, on l'agrippe. Il se libère et repart à l'assaut, quand lui parvient une autre odeur.

Particulière. Familière. Semblable à celle émanant de bougies. Du suif, tout près. Il tourne la tête et reconnaît le tripier à quelques mètres. Enfiévré, Minville oublie la discrétion exigée par son chef et tire en l'air : « Police ! » Canler se retourne…

« Non ! »

… et le boucan cesse instantanément. Silence total. Tous les regards convergent vers Minville, cerné de murmures. Ils se propagent de vendeurs en clients dans toute la galerie. On recule, on s'agite, on abandonne cageots et paniers, craignant d'être arrêté pour ses magouilles. Ce que Canler redoutait se produit : des centaines de gens hurlant, se précipitent vers les sorties. Parents, enfants et anciens se piétinent. Le bâtiment rugit, vomit son chaos dans les rues du quartier. La panique contamine les bâtiments voisins. Leurs occupants ressortent, percutant ceux de la halle aux viandes, et le tripier s'enfuit.

Canler se lance à sa poursuite, bientôt rejoint par les deux inspecteurs. Ils accélèrent – « Poussez-vous ! » –, retardés par les hystériques. Mahavishnu, encore. Tous ces corps, ces sons mastiqués par le chaos. Canler redouble d'efforts – « Poussez-vous, merde ! » – et se rapproche du tripier qui se faufile par la droite. Direction l'autre sortie, où des gardes interceptent le fugitif. Le ceinturent. Le libèrent malgré eux, submergés par la foule. L'homme leur échappe, entraîné dehors.

Tandis que les gardes sont piétinés, Canler sort à son tour, haletant, il cherche sa cible parmi la foule. La repère dans la rue du Four et s'élance – « Police ! Restez où vous êtes ! » – et zigzague entre les fous. L'homme contourne le parc aux charrettes. Bousculé, il s'étale dans la neige. Canler aussi. La faute à une calèche surgissant de nulle part. Le fugitif se rétablit, fonce vers la rue de Grenelle. Visible pour quelques secondes encore, avant qu'il ne soit caché par l'église Saint-Eustache. Après, ce seront les ruelles, le labyrinthe du VIe.

Canler pointe alors son pistolet. Serre la crosse à deux mains. Ferme son œil gauche et ajuste sa ligne de mire. Une femme, puis un enfant gênent sa vision, après quoi il se décide à tirer. L'homme s'écroule, blessé à la cuisse. Non, c'est un balayeur. Ses cris aggravent la terreur des Parisiens. Canler vise, attend, vise, attend, vise et tire à nouveau. Sa cible s'écroule enfin sur le parvis de l'église. Canler se précipite, bondit et retombe sur sa proie en l'écrasant de tout son poids.

— Aïe ! C'est pô moi, l'tueur ! C'est pô...

Canler le retourne de force. L'homme blêmit :

— Vous ?

Canler lui assène un coup de crosse au visage. Encore. Encore. Encore, et le sang jaillit. Éclaboussé, il s'acharne. Et s'il arrête, c'est que les inspecteurs Minville et Mathieu le retiennent. Ils éloignent le tripier gémissant et plaquent leur supérieur contre un mur. L'inspecteur principal Bélair accourt vers Canler.

— Qu'est-ce qui vous a pris ? Vous auriez pu le tuer !

Canler, un filet de bave aux lèvres, n'a pour seule réponse qu'un sourire.

34

Nuit.

Royaume de grande solitude pour les insomniaques. Moment propice à la réflexion et, en ce qui concerne Allard, aux aigreurs. Deux jours et trois nuits qu'il erre chez lui, obsédé par Canler. Plus d'une fois, il a songé à lui rendre visite, mais n'a pas osé. La peur d'avoir raison.

Alors, pour panser ses tourments, il rouvre le livre de Quételet. Les mots, par leur pertinence, l'éloignent peu à peu de ses tourments. Auteur et lecteur se retrouvent, convaincus que tout crime volontaire naît de la frustration générée par les inégalités, n'en déplaise à Gisquet. Pour preuve, tous ces assassins issus des bas-fonds.

Mais la nuit est double. De prime abord stimulante, elle se nourrit de l'usure et pervertit les certitudes en doutes. Et Allard, épuisé, ne sait plus quoi penser. Car son monde lui échappe. Ce monde où tous les tueurs ne viennent pas des bas-fonds. Ce monde où un poète, fils de bourgeois, peut devenir assassin. Ce monde écœurant où un attentat peut transformer l'inspecteur le plus intègre en tueur sanguinaire.

« La société renferme en elle les germes de tous les crimes qui vont se commettre, en même temps que les facilités nécessaires à leur développement. C'est elle, en quelque sorte, qui prépare ces crimes, et le coupable n'est que l'instrument qui les exécute. Tout état social suppose donc un certain nombre et un certain ordre de délits qui résultent comme conséquence nécessaire de son organisation. »

35

Gisquet observe l'homme alité dans ce cachot humide, et grimace. Écœuré par son œil crevé, son visage effroyablement cabossé. Celui de Jules Brasseux, quarante-deux ans, fumeur d'opium, matelot recherché pour contrebande, réfugié depuis six mois à Paris où il s'était reconverti en tripier. Si Gisquet sait tout ça, c'est que le prisonnier vient de lui parler avant de mourir des suites de ses blessures. Un mort de plus à la Conciergerie.

À l'aide de sa canne, Gisquet cogne à deux reprises contre la porte. Le verrou claque, l'acier grince, puis un gardien apparaît. Le préfet sort, retrouve Canler dans le couloir. Celui-ci baisse les yeux. Le gardien referme et s'apprête à verrouiller avant de se raviser. Inutile, puisque le corps sera évacué d'ici peu. Un cobaye de plus à la faculté de médecine.

— Laissez-nous.

— Bien, monsieur le préfet.

Le gardien s'éloigne. Gisquet le suit du regard et, tandis qu'il disparaît dans l'escalier, se tourne vers Canler.

— L'évasion de Lacenaire, une émeute aux Halles et un suspect battu à mort. Bravo.

— Je suis désolé, monsieur le préfet... j'ignore ce qui m'a pris.

— Cette conduite est indigne d'un homme de votre rang. Comment avez-vous pu vous livrer à une telle barbarie ? Un peu plus, et il mourait sans rien révéler.

— Pourquoi ? Il... il a parlé ?

— À l'instant. Il m'a tout raconté.

— Tout ?

— Oui. C'était un ancien matelot, d'où son manteau atypique. Un « paletot », selon ses dires. Plus sérieusement, il m'a dit qu'il n'était pas le tueur, mais son complice. C'est lui qui avait remis la sacoche à cet indigent du VIIe.

— Il a pu vous mentir.

— Nous le saurons demain. Il m'a décrit le tueur : un Italien, tatoué, qui travaille à l'abattoir de Montmartre. Ce serait un admirateur de Lacenaire.

— Je présume que, suite à mon comportement, je ne pourrai mener l'opération.

— Cela dépend de votre capacité à vous maîtriser.

— Monsieur, ce qu'il s'est produit n'arrivera plus. Je m'y engage.

— Malgré votre dépendance à l'absinthe ?

Canler serre les dents, les poings, avant de se ressaisir.

— Alors, vous savez...

— Je vous l'ai dit, votre victime m'a tout révélé. C'est parce qu'elle vous a reconnu que vous l'avez passée à tabac. Je me trompe ?

— Non... j'ai croisé cet homme plus d'une fois, la nuit... dans un débit de boissons.

— Cela fait longtemps que vous vous adonnez à ce poison ?

— Depuis cet été... depuis l'attentat.

— Ah. Vous y étiez ?

— J'y suis encore.

Canler fixe son supérieur, lequel peine à soutenir son regard. Un regard de détresse où pourrissent des corps parmi les décombres. Gisquet avale sa salive, Canler poursuit :

— Ce « poison », comme vous dites, j'en ai besoin pour oublier ce que j'ai vu. Ça m'obsède, je n'en dors plus.

— Votre épouse le sait-elle ?

— Non.

— Cela vaut mieux pour votre union. Je n'ai guère le temps de vous remplacer à la tête de la Sûreté, alors vous irez demain dans cet abattoir avec cinq de vos hommes.

— Merci, monsieur le préfet.

— Inutile de me remercier, je vous trouverai un successeur avant la fin de la semaine. Au sujet de ce boucher, arrêtez-le ou votre vice fera la une.

Une heure plus tard, Gisquet communique deux informations capitales à tous les journaux de la ville. D'abord, l'évasion de Joseph Brasseux survenue avant son interrogatoire, puis l'arrestation d'un brigand ayant avoué être le « coupeur de têtes ».

Deux mensonges relayés dans tout Paris, dans le but de duper l'assassin :

Paolo Cataldi, quarante-trois ans.

Condamné en mars pour crimes avec actes de barbarie.

Évadé du bagne de Toulon il y a deux mois.

Un mètre quatre-vingt-seize, cent dix kilos de muscles.

36

24 décembre

La nuit bâille et étire sa cinquième heure, où apparaissent des bœufs. Leurs côtes se frôlent, se râpent, s'entrechoquent. Concert dissonant auquel s'ajoute le son, discret, de la neige écrasée. Ils traînent les sabots, frottant leurs flancs, sous l'autorité du chien. Derrière, Louis, un bouvier des campagnes avance, balluchon sur l'épaule. Transi de froid, mais si fier de conduire ces bêtes dont il a la responsabilité.

Arrivé à la barrière des Martyrs, il dépasse le bétail. Un sifflement émane de sa barbe touffue. Le chien aboie, les bœufs s'arrêtent dans une molle anarchie. Louis se rapproche du poste de l'octroi. Le vieil Hubert en sort, sa peau de loup sur le dos. Salutations, bref échange au sujet du froid, et le bouvier tend son papier. Hubert vérifie l'itinéraire et le presse de payer, après quoi la barrière est levée. Les bœufs comptés à coups de bâton pénètrent dans Paris.

— Un ! Deux ! Trois ! Quatre !

— Déjà Noël...

— Ouais. Sept ! 'Rien vu passer. Huit !

— Cette année, c'est pô la fête, avec le tueur.

— C'est sûr. Onze ! 'Paraît qu'ils ont arrêté un brigand. Douze !

— Mmm. J'espère que c'est lui, j'ai peur pour mes p'tits.

Les bêtes réunies, Hubert referme la barrière. Louis le salue, dirige le bétail dans une ville qu'il ne reconnaît plus, blanchie par l'hiver et désertée par la peur. Au fil des pas, le ciel noir s'anime. La gigantesque nuée de mouches veillant sur l'abattoir de Montmartre. L'un des cinq bâtis sous Napoléon, pour en finir avec les flots de sang s'écoulant à travers la capitale. On dit qu'il est le plus vaste d'Europe, c'est sans doute vrai : ici s'étendent près de quatre hectares dédiés exclusivement à la mort.

Louis s'arrête devant la grille et lève les yeux, impressionné aujourd'hui encore par la grande horloge. Tandis que les gardiens approchent, il regarde entre les barreaux. Au loin, des dizaines de bouchers traversent l'enceinte. Cagoules, manteaux, bottes constellées de sang séché. Parmi eux, Canler et cinq de ses meilleurs inspecteurs.

Regard fixe.

Cœur survolté.

Pistolet en poche.

Nouvelle immersion, après les Halles. Les garçons bouchers qu'ils remplacent ont été sommés de rester chez eux, contraints au secret, surveillés par des agents. Ils ne pourront sortir qu'après l'annonce de l'arrestation de Cataldi. Un monstre dont le torse est orné d'un tatouage parfaitement décrit par son complice : deux oiseaux de feu enlacés. Là, quelque part, sous l'un de ces manteaux.

Canler marche d'un pas lourd, épuisé par son insomnie. À cran, au milieu de tous ces anonymes. Qui parlent. Reniflent. Raclent leur gorge comme on aiguise une lame sur une meule. Ils dépassent le bâtiment administratif, les réservoirs d'eau. Lente avancée sous le regard des corbeaux.

Le groupe se disperse. Direction les bouveries, triperies, fondoirs de suif et échaudoirs, devant lesquels sont regroupés des bœufs. Le maître garçon s'en approche, bâton en main et corde sur l'épaule. Les inspecteurs les suivent dans la cour. La neige s'effrite sous leurs pas, dévoilant le sang des moutons égorgés la veille. Les policiers regardent le maître palper les bêtes. Elles se laissent faire, ignorant leur sort imminent. L'homme coiffe un bœuf de sa corde.

— On commence par lui.

Un autre homme dirige l'animal vers l'entrée d'un échaudoir à coups de bâton, l'obligeant à entrer. Canler franchit la porte à son tour. Un pas, et ses tripes lui remontent dans la gorge. Nausée. Malaise, s'il ne se contrôle pas. Jamais il n'a subi une telle pestilence. Toutes les nuances de puanteurs de Paris sont ici, dans ce tombeau de fer. Du fer partout. Ce métal grâce auquel l'Humanité s'est grandie et par lequel elle périra.

No Futura.

Il avance, se heurtant aux mouches qui s'immiscent entre les mailles de sa cagoule pour lui attaquer la face. Elles infiltrent ses yeux, ses narines, son cerveau, et lui parlent de l'intérieur. La voix, encore. Le manque d'absinthe qui le supplie. Qui n'en peut plus d'attendre jusqu'à la nuit.

Ses hommes le rejoignent à l'intérieur, tout aussi fébriles. Il l'entend à leur respiration effrénée. Là-bas, l'homme entrelace la corde autour des cornes du bœuf. Il l'attache à l'anneau d'abattage et le maître se saisit d'une masse.

Boum !

L'animal s'excite, beuglant à la mort.

Boum !

Canler se contient de toutes ses forces.

Boum !

Le bœuf résiste, tire sur la corde.

Boum !

Les policiers observent, éprouvés par ces cris déchirants, quand la bête s'écroule bruyamment. Elle convulse, bave, se fige dans une ultime expiration. Le « bon soupir » inaugurant la saignée, tandis que les garçons bouchers investissent un autre local. Canler s'y rend avec ses hommes. Une vaste pièce envahie d'établis, des masques et des tabliers pendus au mur, un sol tapissé de bris d'os et de raclures de chair.

Les bouchers, de dos, retirent leurs cagoules. Profitant de leur inattention, les policiers font de même et s'empressent de mettre chacun un masque. À l'affût, ils les regardent ôter leurs manteaux, enfiler leurs tabliers. Canler et son groupe les imitent, quand les bouchers masqués se retournent. Les deux phœnix apparaissent alors entre d'énormes pectoraux. L'assassin, là, devant eux.

Le cœur survolté, les policiers le regardent se diriger vers la réserve et en ressortir avec une demi-carcasse sur l'épaule. Il la bazarde sur son établi. Le son résonne dans toute la salle. Cataldi parcourt son arsenal : couteaux, fendoir, hachoir et autres outils barbares. Il opte pour le hachoir et tous débutent leur journée. On tranche, on fend, on débite la chair. À chaque son, les policiers frémissent. Canler, concentré, fixe la nuque de sa proie à une vingtaine de mètres.

Un regard, et l'inspecteur Simon Bayard avance lentement. Ses pas se calquent sur le ballet incessant des lames, jusqu'au tueur herculéen. Son énorme main gauche brandit le hachoir, qui disparaît et réapparaît à intervalles réguliers.

— Monsieur Cataldi ?

L'homme suspend son hachoir, puis reprend. Il tranche, retourne le quartier de viande et tranche à nouveau. Bayard appuie son pistolet dans son dos.

— Vous êtes en état d'arrestation.

L'homme coupe et coupe encore. Ses confrères échangent des regards, s'agitent. Les policiers sortent leurs armes et les ramènent au calme. Bayard revient à la charge :

— Monsieur, je vous ordonne de poser cet outil.

Cataldi poursuit son geste mécanique. L'inspecteur se retourne et fixe Canler, dont la bouche s'ouvre en signe de panique. Bayard s'en étonne...

Tchac !

... et son cœur s'accélère. Son ouïe lui renvoie des cris déformés. Sa vision rougit par saccades jaillissant de sa jugulaire où est encastré le hachoir. Il vacille, s'écroule aux bottes de Cataldi. Horrifiés, les autres bouchers s'enfuient, laissant le colosse face aux inspecteurs. Tous sous le choc, à commencer par Canler qui pointe son pistolet.

— Mains en l'air !

— 'Lors, comme ça, Jo m'a dénoncé avant d's'enfuir ?

— Il ne s'est pas enfui. Je t'ai tendu un piège et tu es tombé dedans.

Les lèvres de Cataldi se tordent en un sourire malsain qui plisse ses yeux noirs. Il lève les mains, tenu en joue par les autres. Canons tremblants, face à l'agonie de leur confrère. Canler vise sa cible entre les yeux. Une balle, une seule, et tout serait fini. Un assassin mort, un honneur lavé, une ville enfin apaisée. Mais non. Il se ressaisit, apostrophe l'un de ses hommes :

— Batignole ! Ramassez l'arme de Bayard !

Un policier avance, vigilant. Il marche jusqu'à la flaque de sang, s'accroupit auprès du supplicié. Bayard s'accroche à son col.

— Aaaaah…

— Désolé, vieux.

Batignole se libère, ramasse l'arme, recule jusqu'aux autres. Canler range le pistolet dans sa poche et interpelle un deuxième homme :

— Mathieu ! Trouvez une chaîne et attachez-moi cette ordure !

Un policier s'exécute, tous défient leur cible. Instant néant rythmé par le bourdonnement des mouches et les gémissements de Bayard. Cataldi apostrophe Canler :

— C'est com' ça qu'tu me remercies, m'sieu le chef de la Sûreté ?

— Croise les mains dans le dos.

— Tu m'la dois, ta promotion. Sans moi, tu s'rais encore le chien d'Allard.

— Croise les mains ou je tire !

— Tu l'feras pô. T'as besoin d'savoir pourquoi j'ai saigné les p'tits.

Silence écrasant, ponctué du hoquet irrégulier de Bayard. Le colosse se décide à croiser les mains dans le dos. L'inspecteur réapparaît avec les chaînes. Il les lui passe autour des poignets, lorsque Bayard hoquète une dernière fois et meurt, attirant tous les regards. Cataldi en profite pour saisir le policier par la gorge. Les chaînes claquent au sol. Le malheureux se débat sous les yeux de ses compagnons pétrifiés.

— Lâche-le ! crie Canler.

— Vos armes. Au sol.

— Lâche-le !

— T'veux voir comment j'ai fait avec les p'tits ?

— Non ! supplie l'otage. Chef !

Cataldi serre le cou. Sa victime se crispe davantage et gémit. Canler se résout à poser son pistolet, imité par les autres. Tous le regardent reculer avec Batignole en direction de la réserve.

— Lâche-le ! C'est fini pour toi !

— Au contraire. Ça fait qu'commencer.

Il s'engouffre à l'intérieur avec son otage, claque la porte. Les policiers ramassent leurs armes et s'élancent derrière leur chef qui enfonce la porte. Au sol gît l'inspecteur Mathieu, la pomme d'Adam écrasée. Les autres accusent le coup. Canler entre et, canon pointé, détaille le local. Carcasses suspendues par rangées. Murs suintants balisés de crochets. Sol poisseux. Et les mouches omniprésentes.

Un à un, ils enjambent le corps, contenant leur rage. Le dernier entré referme derrière lui. D'une main, leur chef attribue une rangée à chacun. Le groupe se disperse, disparaissant entre les blocs de viande. Canler avance, le canon en alerte. Ses épaules frottent contre les chairs, les côtes, les colonnes grouillantes de mouches…

Aaaaah !

… qui s'envolent. Canler sursaute, lorgne entre les carcasses. La silhouette d'un inspecteur, là-bas. Canler revient sur ses pas et découvre l'un de ses hommes au sol. Yeux exorbités, cou broyé, son pistolet disparu. Ils étaient quatre à l'intérieur, ils ne sont désormais plus que trois. Canler serre son arme…

Craaaac !

… et se retourne aussitôt. Devant lui se balancent les carcasses. Il en dépasse une, redoutant de voir surgir Cataldi. Les mouches gênent son champ de vision mais il distingue un autre cadavre. La tête retournée, en prolongement du dos. Sous le choc, Canler lutte pour contenir ses tremblements. Il se ressaisit, tourne sur lui-même…

Schliiiing !

… et s'élance. Il traverse les mouches, les carcasses, tous ces enfants décapités. Des demi-enfants, tranchés des cervicales au coccyx, qui se referment sur lui. Canler les repousse mais ils reviennent à la charge. Eux et leurs parents effondrés qui s'agrippent à lui. Il les rejette inlassablement, puis se fige. Face à lui, son dernier inspecteur, empalé sur un crochet.

Le sang s'écoule le long du mur jusqu'à ses bottes. Bottes ; chercher les bottes de Cataldi. Sans faire le moindre bruit, il se baisse pour regarder sous les carcasses. Personne à droite. Personne à gauche.

Il se rétablit et serre son arme à deux mains. Il se concentre sur les mouches, discerne leur bourdonnement de sa respiration. Une autre lui parvient, entre les carcasses. Elles frémissent, s'animent, s'écartent au son de pas de plus en plus proches. Il pointe son arme, Cataldi surgit et tire. Canler se jette sur le côté et, le voyant ressortir en courant, se lance à sa poursuite. Leurs balles se croisent, perçant les parois et les bœufs.

D'autres, blessés, beuglent à la mort. Le fugitif regagne la cour enneigée, effrayant les corbeaux. Ils croassent et tournoient au-dessus de Canler, qui tire à nouveau. Cataldi s'écroule, l'épaule en sang. Canler se précipite vers lui, glisse et perd son arme dans la neige.

Il enrage en cherchant son pistolet mais ne le trouve pas. Cataldi se remet à courir, la main sur sa plaie. Au loin, les bouchers assistent à la scène, cachés derrière les réservoirs d'eau. L'assassin fonce en direction de la sortie, contourne le bâtiment...

... et je le stoppe d'un violent coup de masse.
Il s'écroule dans un nuage de flocons. Au loin,
Canler s'insurge :

— Lacenaire ?

— Pour vous servir !

Fou de rage, il accélère dans notre direction.
Je bazarde la masse, sors ma pipe, gratte une
allumette. Je ravive le foyer en observant Cataldi
à mes pieds. Cette crapule qui a osé plagier
mes crimes. Ce tueur d'enfants, dont la croisade
sanglante s'arrête ici.

Canler se jette sur notre proie commune. Elle
se débat, il lui boxe la face. Je fume en les regar-
dant rivaliser de virilité. À les voir ainsi, blanchis
par l'hiver, je peine à distinguer le justicier du
criminel. Un dernier coup de poing et le colosse
capitule. Canler se relève, haletant. J'avale une
bouffée de tabac et lui souris.

— Heureusement que j'étais là.

— Justement... que... que faites-vous ici ?

— J'ai mené mon enquête et mes nombreux
contacts m'ont orienté vers cet homme. Mon cher,
je vais vous faire une confidence. Il y a encore

quelques heures, je pensais que vous étiez l'assassin.

— Lacenaire ?

— Oui ?

Son poing m'envoie au sol. Il me plaque sur le ventre, me tord les bras. Sonné, je l'entends retirer son tablier, avec lequel il me lie les poignets. Il serre fort et je divague dans ce grand lit glacé. Ma dernière vision est celle de Paolo Cataldi, inconscient.

La mort a perdu.

Paris a gagné.

Fluctuat nec mergitur.

38

Plus tard,
Conciergerie

À travers mes barreaux, j'assiste au retour de la nuit. Ainsi, me revoilà incarcéré. Même étage, nouveau cachot. En échappant à la Sûreté, je savais à quoi je m'exposais, mais tout de même, cela me laisse un arrière-goût. Avec ma tunique sale pour seul habit, je fais les cent pas pour lutter contre le froid. Si mon père était encore en vie, je serais prêt à le tuer pour une couverture. Et que ne ferais-je pas pour retrouver ma banquette, mon tabac et mon vin ! Même cet imbécile de Chabrol me manque. C'est dire si je me sens seul.

Des heures que je croupis ici, grelottant. Privé de mon confort et, surtout, de mes *Mémoires*. Dès mon arrivée, je les ai réclamés à Lebel. « Confisqués ! » m'a-t-il dit avec le sourire. Mon manuscrit, mon existence est désormais entre ses mains. Peut-être a-t-il déjà tout brûlé ? Sans doute. Que ma chair périsse sous la guillotine, je n'attends que cela. Mais que l'on tue mon esprit, je ne peux l'accepter. Et j'ai mal, si mal !

Heureusement, la guillotine me soulagera d'ici peu. Enfin, je l'espère, la cour ne s'étant pas encore prononcée. Mon pourvoi en cassation… cela aussi aura été une erreur, une contradiction de plus. Ma réincarcération, elle, sera rendue officielle demain. Ah ! J'entends déjà les vendeurs de journaux chanter la nouvelle, ainsi que l'arrestation du « coupeur de têtes ». *Le Constitutionnel*, *Le National* et les autres augmenteront leurs ventes, de quoi remplir leurs caisses en cette fin d'année.

Moi, j'endure la loi des trois F : j'ai Froid, j'ai Faim et tout le monde s'en Fiche. Tous ces gens qui, en ce moment même, célèbrent Noël.

En famille.

39

25 décembre

Torturé dès son transfert à la Sûreté, Cataldi a tout avoué face à Canler et Gisquet. Les crimes, les corps conservés dans son grenier, la lettre adressée au *National* et sa fascination pour Lacenaire, de ses écrits à son procès auquel il a assisté.

— *Votre « modèle » ?*
— *J'sais qu'c'est un fils de bourgeois, mais on a la même haine.*
— *À ma connaissance, il ne s'en est jamais pris à des enfants.*
— *J'en pouvais plus. Des années que les p'tits du quartier m'empêchaient de dormir.*
— *Et c'est pour cela que vous avez commis ces crimes ?*
— *Quand on travaille dur pour si peu, comme moi, faut dormir. Sinon on d'vient fou.*
— *Au point de décapiter des enfants ?*
— *Au point d'tuer les siens. Maintenant, laissez-moi. J'ai besoin d'me reposer.*

Canler et Gisquet ont échangé un regard, presque déçus par la motivation du tueur. Un homme ordinaire qui a craqué, brisé par la dureté de son métier et asphyxié par d'incessantes réformes. Dix ans que les bouchers pâtissent de la politique. Dix ans que le régime réduit leurs privilèges, cherchant à libéraliser leur commerce sous la pression des éleveurs. Dix longues années de contraintes, d'humiliations. Et si le Syndicat de la boucherie a été rétabli il y a six ans, ce n'est que pour être mieux broyé entre la préfecture de police et celle de la Seine.

Ainsi, Canler a appris que les crimes les plus atroces pouvaient être commis pour les raisons les plus simples. « Terriblement simples », a précisé le roi devant ses ministres, après avoir décidé de maintenir sa sortie publique. La date a été fixée au 1er janvier : un autre jour férié, qui lui assurera davantage d'acclamations dans les rues.

La nouvelle de l'arrestation de Cataldi a commencé à se répandre, colportée par les bouchers de l'abattoir de Montmartre. Tout au long de la journée, les préparatifs de Noël se sont accompagnés de discussions au sujet du « coupeur de têtes ». Son origine italienne. Son procès qui débutera dès demain. Son exécution prévue avant le 31, afin que la nouvelle année débute sous les meilleurs auspices.

Ce matin, une fois n'est pas coutume, les quartiers Est se réveillent avec le sourire. Des centaines de parents soulagés, en ce jour férié. Tous enlacent leurs enfants, sortent dans les rues pour partager leur joie. De voisins en amis, de mendiants en ouvriers, l'allégresse s'étend jusqu'aux rédactions de Paris. Informés depuis peu par Gisquet, les journalistes peaufinent leurs unes dans la précipitation.

La course s'engage, les imprimeurs accélérant la cadence. Plus les pages s'enchaînent, plus les Parisiens célèbrent ce jour nouveau. Ils étaient des centaines, ils sont désormais des milliers à se réjouir, émus, en voyant leurs enfants jouer dans la neige. Tous ces petits redevenus insouciants, au point d'en oublier le labeur qui reprendra demain. Les cris des vendeurs de journaux résonnent…

« Achetez Le Figaro !
Double succès pour Canler ! »

… en tout point de la capitale…

« Arrestations du tueur et de Lacenaire !
Fin du couvre-feu ! »

… et parviennent aux oreilles d'Allard, dans son salon. Accroupi devant le sapin avec son épouse. Il se relève aussitôt. Elle, non, trop occupée à ouvrir les cadeaux pour leur petite fille. Une femme incroyable : le monde peut bien lui parler de crimes, elle continuera de dénouer ce ruban.

Allard se rapproche de la fenêtre. Il observe les vendeurs entourés par des dizaines de gens. Les journaux s'achètent, se lisent, se brandissent avec exaltation. Il sourit, puis se rend dans l'entrée. Son épouse le regarde enfiler sa redingote.

— Pierre, où allez-vous ?
— Rendre visite à un ami.

Arrivé à la Conciergerie, il se voit refuser l'accès au cachot de Lacenaire. Ordre de Gisquet.

La seule grille à s'ouvrir est celle de Canler, une demi-heure plus tard. Le plus surpris des deux est Allard, confronté à sa pâleur et à ses yeux cernés. Un faciès qui n'est pas celui d'un policier victorieux, célébré en héros par des milliers de Parisiens. Canler demande sur un ton sec :

— Que voulez-vous ?

— Je tenais à vous féliciter.

— Mais encore ?

— Je suis venu vous parler.

— Je n'ai ni le temps, ni l'envie de...

— Nous en avons besoin. Bien des choses se sont produites ces derniers jours, et des erreurs ont été commises des deux côtés. Puis-je entrer ?

Canler soutient son regard, puis consent à lui céder le passage. La porte se referme sur les deux policiers. Séparés par le Pouvoir, réunis dans l'amertume.

40

Le lendemain

Plus de couvre-feu pour les enfants, plus de « coupeur de têtes » à redouter et plus de cadavres à identifier : l'enquête bouclée, Paris ressuscite, des mines aux ateliers en passant par les manufactures, à la grande satisfaction de leurs propriétaires.

Néanmoins, leur soulagement est de courte durée, puisqu'il faut rattraper le temps perdu. Sans compter ce jour férié, ennemi de l'économie. À peine les ouvriers ont-ils franchi la porte que les cloches sonnent la reprise. Les horloges tournent, les machines tonnent, les corps transpirent. Horloges, machines, sueurs, horloges, machines, sueurs ; l'activité reprend aux quatre coins de la ville.

Très loin de cette folie, le secrétaire de Gisquet réajuste délicatement son col. Il lisse sa raie sur le côté, s'annonce par un délicat « Toc ! Toc ! » et ouvre la porte.

— Monsieur le préfet ? M. Lebel est arrivé.

— Ah ! Qu'il entre !

Lebel apparaît avec une sacoche, vêtu d'une redingote vermeille. Sa plus élégante en ce jour unique où, pour la première fois, Gisquet l'invite chez lui. Lebel n'en a pas dormi de la nuit.

La porte refermée, il traverse le salon luxueux, impressionné, et se dirige vers le grand bureau. Deux des quatre fauteuils sont occupés par Gisquet, cigare aux lèvres, et Berthold Lamard, l'éminent éditeur, vieillard affublé d'un monocle. Lebel change sa sacoche de main pour ôter son haut-de-forme et salue les deux hommes.

Sur l'invitation de son hôte, il s'installe confortablement, pose la sacoche sur ses cuisses. Devant lui, un encrier, une plume, une carafe de vin et trois verres en cristal. Une bouffée de tabac, et Gisquet les remplit. Les deux hommes le remercient, après quoi Lebel goûte le vin, puis repose son verre, sous le charme.

— Merci pour ce délice, monsieur le préfet.

— Canler ne devait-il pas venir avec vous ?

— Il m'a informé que, finalement, il ne se joindrait pas à nous.

— Sans doute est-il éprouvé par cette affaire.

— Cela se comprend, dit Lamard, j'ai entendu dire qu'aucun de ses hommes n'avait survécu à l'opération... Ainsi, l'assassin était un Italien ?

— Oui. Ces gens ont le goût du sang, c'est pourquoi ils pullulent dans nos abattoirs.

— C'est tout de même curieux. Les bouchers sont de piètre instruction, alors que la lettre adressée au *National* était bien écrite.

— Cataldi est de ces déséquilibrés qui ont multiplié les activités. Par le passé, il a été écrivain public, à l'instar de Lacenaire, son modèle.

— D'où notre entrevue, ajoute Lamard.

Lebel, fier comme un coq, ouvre la sacoche. Il en extrait un manuscrit qu'il remet au préfet.

— Voici donc ces fameux *Mémoires*, dit Gisquet.

— Ceux-là mêmes réclamés par Allard.

— Allard… il m'aura bien déçu, celui-là. Dites donc, ces pages sont sales.

— Elles traînaient sur le sol de son ancien cachot.

— Surprenant de la part d'un être qui se dit raffiné. Messieurs, êtes-vous prêts ?

Lebel et Lamard acquiescent. Le premier lisse sa moustache, le second ajuste son monocle et Gisquet entame la lecture de la préface :

Cher Public, ta curiosité a été excitée à un si haut point par mes dernières étourderies, tu t'es mis avec tant d'ardeur à la piste de la moindre circonstance qui présentât quelque rapport avec moi, qu'il y aurait maintenant plus que de l'ingratitude de ma part à ne pas te satisfaire.

— Cela commence bien ! intervient Lebel. Et ce n'est que la première page !

— C'est pourquoi nous sommes ici. Messieurs, nous gardons ?

— Non, répond Lebel.

— Oui, répond Lamard.

— Navré d'insister, monsieur le préfet, mais tout le monde sait qu'il a rédigé ceci dans mon établissement et je refuse que mon nom soit associé à de telles sottises.

— Nous aviserons à la fin.

Gisquet avale une bouffée de tabac, feuillette le manuscrit. Après concertation, il raye un paragraphe, puis en lit un autre :

Je vis d'un côté une société de riches s'endor-
mant dans ses jouissances et calfeutrant son
âme contre la pitié ; d'autre part, une société
de misérables qui demandaient le nécessaire à
des gens qui regorgeaient de superflu.

— Ces pages ne sont que provocations ! Nous ferions mieux de les brûler !

— Si elles venaient à disparaître, la presse dénoncerait une censure.

— N'est-ce pas le but de notre entrevue ?

— Allons, nous ne faisons que corriger un manuscrit.

Les pages se succèdent, les déroutant parfois et les irritant souvent. Gisquet tête son cigare, raye un autre paragraphe, poursuit sa lecture :

Je crois à une autre vie fermement. J'y crois
pour l'homme mon semblable, mais encore pour
l'animal qui a aussi son intelligence (et chez
certains animaux, l'intelligence est supérieure
à celle de certains hommes).

— Scandaleux !

— Pittoresque.

— Monsieur Lamard, je commence à me demander de quel bord vous êtes.

— Celui des lecteurs. Ils veulent du culot, en voilà !

Le préfet approche sa plume, avant de finalement épargner ce passage. Satisfaction de l'éditeur et colère contenue de Lebel. La cendre du cigare chute sur le manuscrit. Gisquet la balaie de la main, découvrant un autre paragraphe :

La vue de la souffrance me torture lorsqu'elle est le résultat d'un accident de nature ; elle m'indigne quand elle est imposée à une créature par une autre, quelle qu'elle soit, et je m'indigne plus encore en voyant un agneau égorgé par un boucher, qu'un homme dévoré par un tigre.

— « La vue de la souffrance me torture » ! Et c'est un assassin qui l'écrit !

— Je ne partage pas son raisonnement, mais il est cohérent.

— Outrancier !

— Lacenaire est outrancier. Si vous vouliez un ouvrage sage, il fallait lire Lamartine.

— Oh, il n'est pas aussi sage qu'on le dit. Qu'en pensez-vous, monsieur le préfet ?

— Moi, je suis surtout choqué par cela :

Honte soit au premier philosophe qui déclara du haut de sa science que l'animal était un mécanisme, pour donner ainsi le droit à l'homme de le torturer à son plaisir, comme un enfant s'amuse à faire crier les ressorts d'une pendule !

« Hérésie », se dit Gisquet. Il trempe sa plume et s'apprête à rayer le paragraphe, lorsque Lamard arrête sa main :

— Nous étions d'accord pour censurer ce qui nous semble néfaste pour le peuple.

— Et selon vous, ceci n'est pas dangereux ?

— Si, mais à quoi bon publier ces pages si nous les privons de leur sens ?

— Du sens ? Et là, il y en a, du sens ?

Alors, je résolus de devenir le fléau de l'humanité pour réaliser ma grande idée, celle que je lègue à tous mes frères abreuvés d'injustices : le suicide par la guillotine.

— Nous ferions mieux de tout détruire, au lieu de censurer çà et là !

— Non, cela ferait de Lacenaire un martyr aux yeux du peuple.

— Nous sommes donc piégés ! Il nous aura eus jusqu'au bout !

— À moins que nous ne retournions ses *Mémoires* contre lui, déclare Gisquet.

— Comment ?

— Nous pourrions lui prêter une culpabilité, pour faire de lui un lâche.

Il ouvre l'un de ses tiroirs, sort un exemplaire de *La Gazette du Midi* daté du 2 décembre. Perplexes, Lebel et Lamard le regardent feuilleter le journal jusqu'au texte d'un certain Hippolyte Bonnelier. Gisquet l'entoure à la plume.

— Ce Bonnelier est un confrère de Dumoutier. Tout aussi intéressé par Lacenaire, il lui a consacré ce poème.

— Allons donc. Un phrénologue poète !

— Il y a bien des assassins poètes… écoutez donc : « Tôt ou tard, des remords la voix se fait entendre. » Il m'est avis que cela peut nous servir.

— Je vois où vous voulez en venir, dit Lebel, c'est une riche idée.

— Je sais. Lamard ?

— J'accepte, à condition de conserver la majeure partie du texte.

— Bien sûr. Nous pouvons être cléments quant à ses *Mémoires*, puisque nous les lui ferons renier. Dès demain, j'obligerai ce Bonnelier à y ajouter des phrases du genre « Je regrette mes crimes, j'ai peur de la mort, etc ».

Lebel sourit, pleinement satisfait de cette initiative. Lamard, de son côté, est plus réservé. Gisquet reprend la lecture. Les minutes se succèdent entre vin, commentaires et suppressions. Une heure plus tard, il arrive au terme du manuscrit, sans rien cacher de son soulagement. La plume à l'affût, il récapitule les passages censurés :

— Page 33, six lignes. Pas d'objection ?

— Non, répondent les deux autres.

— Page 59, cinq mots, à savoir « le suicide par la guillotine ».

— C'est parfait, se réjouit Lebel.

— C'est dommage, regrette Lamard.

— C'est trop tard. Page 66, quatre li...

La porte s'ouvre brusquement sur Allard, le regard haineux. Il traverse la pièce et, d'un coup de poing, explose le nez de Lebel. Celui-ci bascule en arrière. Berthold en perd son monocle et Gisquet, sa plume.

— Allard ! Êtes-vous devenu fou ?

— Non ! Bien au contraire !

— Et que faites-vous ici ?

— Canler m'a fait part de votre odieux projet !

Blême, Lamard regarde Lebel palper son nez cassé. Allard arrache le manuscrit des mains de Gisquet, qui s'insurge :

— Rendez-le-moi ! Sinon...

— Sinon quoi ? Vous m'avez déjà relevé de mes fonctions !

— Je peux encore briser votre carrière !

— Quant à moi, je me ferai un plaisir de révéler tous vos pots-de-vin à la presse !

— Comment osez-vous ? Rendez-moi ceci ou je vous fais arrêter !

— Vous y tenez, à ces *Mémoires*. Ils vous font peur à ce point ?

— Oui ! Je n'ose imaginer leur impact sur le peuple ! Pour la dernière fois, rendez-les-moi ou vous ne reverrez votre fille qu'à travers des barreaux !

Allard serre les dents. Une seconde, il fixe son adversaire. Une seconde, il se résout à reposer les précieuses pages sur le bureau. Gisquet les récupère aussitôt :

— Bravo. Vous venez de sauver votre foyer.

— Entre deux censures, ayez une pensée pour Lacenaire. Je vous rappelle que c'est grâce à lui que vous avez arrêté l'assassin.

— Ce qui est sûr, c'est que ce n'est pas grâce à vous.

Un battement de cils, et Allard sort en claquant la porte.

… horloges, machines, sueurs…

Deux jours s'écoulent durant lesquels Gisquet peste contre Allard, ruminant leur confrontation. Il pourrait le faire arrêter, mais s'y refuse. La peur de voir ses pots-de-vin étalés dans la presse, de devoir s'expliquer face au roi, d'être contraint à la démission et de ternir sa carrière jusqu'ici prestigieuse.

De toute façon, envoyer des agents à son domicile serait peine perdue : Allard s'est depuis retiré en province avec son épouse et leur fille, chez les grands-parents de celle-ci. L'occasion de se détendre quelque peu, avant son retour à Paris. Inéluctable.

… horloges, machines, sueurs…

Parallèlement, le procès de Cataldi se poursuit à la cour d'assises de la Seine. Lieu symbolique, puisque c'est entre ces murs que son « modèle » a été jugé avec ses complices. Canler, Grivot et proches des victimes se succèdent à la barre, devant une foule venue en masse réclamer la tête de l'assassin.

Entre chaque intervention, l'assistance se déchaîne. On fustige l'accusé, on l'insulte. Quand on se tait, c'est pour écouter religieusement le professeur Dumoutier évoquer son examen crânien. Et le phrénologue est formel : Cataldi possède la « bosse du crime », fait accablant qui s'ajoute à ses aveux et à son absence de remords.

... horloges, machines, sueurs...

Le procès s'achève en cinq jours, sous la pression de Thiers, afin de rassurer au plus vite les Parisiens. Cataldi est naturellement condamné à la guillotine, à laquelle le juge l'envoie sur-le-champ. Cette décision sidère Canler, mais ravit l'assistance.

Impassible, l'assassin est évacué sous les huées, puis enfermé dans un fourgon qui l'emporte en direction de la barrière Saint-Jacques. De rues en quartiers, le transfert s'étend peu à peu en procession, ministres et journalistes suivant à bord de leurs calèches. Le peuple, à pied, presse le pas dans la neige.

... horloges, machines, sueurs...

Une neige piétinée par Cataldi jusqu'à l'écha-faud. Maudit par plus de trois cents personnes, il monte les marches. Arrivé devant le bourreau, il lui tourne le dos et, le torse bombé, défie la foule. La suite se déroule en trois temps : la planche, la sangle, la lame. Et c'en est fini du « coupeur de têtes », à jamais privé de la sienne.

Rassasiés, les anonymes prennent le chemin du retour, revivant inlassablement la scène. Les ministres repartent, escortés chacun par deux cavaliers. Thiers ordonne à son cocher d'accélérer, pressé de regagner son hôtel situé place Saint-Georges. D'ici peu, il y recevra un journaliste de la *Gazette des tribunaux* pour répondre à ses questions.

... horloges, machines, sueurs...

Une pression des rênes et la calèche s'éloigne du cortège. Le cocher la dirige au cœur du XIIe, pestant contre la neige et les passants. Ces derniers, reconnaissant le ministre, l'acclament et le félicitent pour sa fermeté durant l'enquête. Thiers savoure cet instant, lui qui n'est guère habitué à être prisé.

Les rues se succèdent jusqu'au pont, après quoi le IXe apparaît. Le verglas miroite sous la lumière des premières lanternes, alors le cocher fait un détour par le VIIIe, s'engage dans le quartier de la Bastille et s'arrête subitement. Thiers tape sa canne – « Eh bien ? » – contre la paroi. Aucune réaction. Il passe sa tête à l'extérieur pour fustiger son cocher. Il le découvre figé, le regard fixe. Comme les cavaliers et tous ces gens réunis sur la grande place.

... horloges, machines, sueurs...

Intrigué, Thiers descend de la calèche. Il frictionne ses mains gantées et, lentement, se mêle à la foule. Irrésistiblement attiré, au point d'en oublier qu'il n'est plus sous escorte. Au fil de sa progression apparaît la colonne en construction, celle exigée par le roi en mémoire des Trois Glorieuses.

Encore un pas, et Thiers s'arrête, livide, face à la colonne contre laquelle est assis un enfant. Nu, décapité, sa tête posée sur ses cuisses. Enfoncé dans son cou, un drapeau tricolore.

... et stop : Paris cesse de palpiter.

42

« Édition spéciale du *Constitionnel* !
Révélations sur le retour du tueur ! »

À travers la vitre, Canler regarde le vendeur
haranguer la foule. Tous ces fous qui accourent, se
bousculent, se disputent un exemplaire. « Révélations », le mot est efficace à défaut d'être honnête.
Une fois de plus, la presse n'a rien à dire, alors
elle triche. Si Canler feuilletait ce torchon, il y
trouverait ce qu'il sait déjà : le bouclage du VIIIe,
le transfert du corps à la morgue et des accusa-
tions de laxisme envers lui. Le tout rédigé avec
une emphase théâtrale, comme si la réalité ne
suffisait pas.

— Canler !

— Mmm ?

— Êtes-vous avec nous ?

Il bat des cils et, bien qu'il n'en ait aucune
envie, se retourne. Devant lui, Thiers et Gisquet.
Assis l'un en face de l'autre, séparés par un bureau
en chêne et leur aversion respective. Le premier
tripote nerveusement sa montre de gousset, le
second repose son cigare d'une main crispée. C'est
sûr, Canler a passé des fêtes du Jour de l'an plus
exaltantes. Gisquet revient à la charge :

— À quoi pensiez-vous ?

— À rien... Je suis fatigué.

— Eh bien, il va falloir vous réveiller ! Nous attendons vos suggestions !

— Mes suggestions ?

— Oui ! Et pertinentes, si possible ! Je vous rappelle que, demain, le régime est censé se montrer victorieux aux yeux du peuple ! Alors ? Que préconisez-vous ?

— Rien.

— Canler, dit Thiers, je vous somme de...

— Si vous n'aviez pas fait exécuter Cataldi à la va-vite, je serais en train de lui soutirer le nom de son complice. Alors, ne comptez pas sur moi pour éclairer ce nouveau mystère. J'arrête. J'arrête tout.

— Mais...

— Je n'ai qu'une suggestion à vous faire : réintégrez Allard. Il est bien plus habilité que moi à poursuivre l'enquête, si toutefois vous lui en donnez les moyens.

Gisquet baisse la tête et gratte avec nervosité sa tempe droite, comme s'il cherchait à la creuser pour en extraire une tumeur. Le ministre, lui, fixe Canler durement :

— Ainsi, vous rendez les armes. Pathétique, surtout de la part d'un ancien caporal de l'armée napoléonienne. Vous faites honte à notre police, au pays tout entier.

— Je me fais honte à moi-même et cela est déjà bien suffisant.

— Est-ce destiné à m'émouvoir ?

— Non, vous êtes incapable d'émotions. Pour le reste, je ne rends pas les armes : j'ai conscience de mes limites, voilà tout. Inspecteur ou ministre, il faut savoir se retirer.

— Qu'insinuez-vous ?

— Ce que vous avez parfaitement compris.

Canler remet son haut-de-forme, traverse le vaste bureau en direction de la porte. Plus que quelques mètres durant lesquels il s'attend à être interpellé. Mais non, les deux hommes sont trop ulcérés pour parler. Il rouvre la porte, se retourne :

— Bon réveillon, messieurs. Et par avance, bonne et sainte année.

Peu après, il sort du ministère. L'air est glacé, le ciel charbonneux, la rue déserte pour cause de festivités. Des fenêtres émanent des voix d'adultes, entrecoupées de chants d'enfants. Canler allume une cigarette et se met en chemin, sourd aux appels de l'absinthe. Ce soir, pour la première fois depuis le 28 juillet, il lui préfère son épouse.

43

1er janvier 1836,
Conciergerie

Toute la nuit, je les ai entendus. Et ce matin, les beuglements continuent : « Bonne et sainte année ! Le paradis à la fin de vos jours ! » Combien de fois les ai-je entendus entre deux dégueulis. Ma France est décidément déconcertante. D'un côté, elle s'acharne à étouffer l'Église et de l'autre, elle poursuit ses traditions. « Sainte », « paradis »… vocabulaire inapproprié puisque, à en croire la presse, un nouvel enfant a été assassiné. Mais les hommes sont ainsi : plus leur monde est dur, plus ils le célèbrent.

Ce Cataldi n'était donc pas le tueur. Ou du moins, il n'était pas le seul à commettre ces horribles crimes. Cela me dépasse et il me tarde de mourir. Bientôt, mon pourvoi ayant été rejeté. Encore heureux. Au crépuscule de ma vie, l'heure est au bilan. Qu'ai-je accompli en trente-cinq ans ? Une enfance digne malgré la dureté de mes parents, une indépendance intellectuelle face au dogme des jésuites et une révolte envers ce siècle obnubilé par l'argent. Autant de victoires que je suis dans l'incapacité de relater. Si l'incarcération est une frustration, être privé d'écrire en est une bien pire.

La plume me manque. Tout me manque, à commencer par mon miroir. Il ne s'agit pas de narcissisme, mais du besoin d'un homme qui doit désormais toucher son visage afin d'en dessiner les traits. Si je m'y emploie, c'est pour évaluer la cicatrisation de mon arcade droite. Les coups de Pisse-Vinaigre, qui ronfle derrière moi, sur sa paillasse. Je l'avais dénoncé, alors il m'a cogné. C'est aussi simple que cela. Simple et pervers à l'image de Lebel, qui l'a transféré hier dans mon cachot en me souhaitant un agréable réveillon. Et d'ici peu, pendant que le roi sera acclamé, je subirai à nouveau la vengeance de mon ancien complice.

— Lacenaire !

Un murmure, en provenance du couloir. Intrigué, je me retourne.

— Qui me parle ?

Dans l'obscurité, derrière la grille, je reconnais la silhouette d'Allard. Son sourire est le mien. Je me précipite vers lui.

— Mon ami, enfin !

— Chut ! Ne réveillez pas votre compagnon.

— Je ne vois ici qu'un compagnon, et c'est vous. Votre réveillon s'est-il bien passé ?

— Oui. Mieux que le vôtre, apparemment.

— Vous présumez bien.

Il détaille mon arcade d'un air peiné. Nous nous fixons en silence, consolant nos échecs respectifs après cette terrible enquête. Je poursuis à voix basse :

— Quelle bonne surprise ! Je désespérais de vous revoir.

— J'attendais ce jour férié pour revenir. Lebel est allé applaudir le roi, avec la plupart de ses gardiens. C'est Chabrol qui m'a ouvert.

— Ah, ce bon Chabrol... Votre présence me touche, surtout aujourd'hui. Je pensais que vous aussi, vous iriez assister au cortège.

— J'avais mieux à faire, comme vous apporter ceci.

Allard s'assure des ronflements de mes voisins, puis ouvre une sacoche. Il en sort un encrier, une plume, ainsi qu'une dizaine de pages vierges.

— Voilà de quoi poursuivre vos *Mémoires*.

— Merci, mais ils m'ont été confisqués.

— Je sais, je les ai vus chez Gisquet. Lebel et Lamard étaient présents.

— Lamard ? L'éditeur ?

— Chut ! Parlez moins fort.

Il me donne le tout entre les barreaux. Je glisse les feuilles dans ma tunique, pose l'encrier et la plume au sol. Pisse-Vinaigre s'agite. Il se retourne en grognant, puis se remet à ronfler.

— Gisquet et Lamard, ensemble... À coup sûr, ils voulaient censurer mes *Mémoires*.

— Je m'y opposerai. Et s'il le faut, j'irai défendre votre œuvre auprès du roi.

— Il me hait. Pourquoi épargnerait-il ma prose ?

— On le dit sensible à la littérature, alors il comprendra. Et puis, s'il vous haïssait à ce point, il vous aurait interdit d'écrire.

— Et vous, où en êtes-vous ?

— Oh, moi… je ne suis pas près de réintégrer la Sûreté. Gisquet n'a guère apprécié que je lui reprenne votre manuscrit, ni que je frappe Lebel.

— Êtes-vous sérieux ? Racontez-moi.

— Eh bien, disons que Lebel aura du mal à se moucher les prochains mois.

— Formidable. Ce geste vous honore.

— J'aurais préféré arrêter le véritable assassin. Savez-vous… ?

— Oui, j'ai entendu… une sale histoire, vraiment. J'espère que, cette fois-ci, Canler…

— Il a démissionné. Aux dernières nouvelles, le roi a ordonné la mobilisation de toutes les polices dans les quartiers Est.

Un bâillement attire notre attention sur mon codétenu. Il étire ses bras et libère un râle bruyant, au croisement du brame du cerf et de la colère de l'ours privé de miel.

— Il se réveille, chuchote Allard, je dois partir.

— Revenez me voir, mon ami.

— J'essayerai. Écrivez bien.

— Comptez sur moi. À bientôt.

Il recule, peu à peu aspiré par l'obscurité. À peine a-t-il disparu que Pisse-Vinaigre me tire fermement par le bras.

— À qui tu causes ?

— À personne.

Il me bouscule, inspecte le couloir. J'en profite pour ramasser l'encrier et la plume, mais le bourrin me surprend :

— Qu'est-ce c'est qu'ça ?

— Un encrier. Et cela, sais-tu ce que c'est ?

— Ben, une plume !

216

— Bravo ! dis-je, avant de la lui planter dans la gorge de toutes mes forces.

Les yeux exorbités, il bégaie ce que je devine être une insulte, et s'écroule. Des deux mains, j'étouffe son agonie afin qu'elle ne réveille pas nos voisins. Un dernier spasme, et il meurt enfin.

Je m'assois en tailleur, pose les feuilles sur son dos, extirpe la plume. Le sang jaillit, arrosant le mur puis le sol, où il s'épaissit en flaque. *Mémoires*, me revoilà ! Enfin, après deux semaines d'interruption. Hélas, mon engouement ne suffit pas. Qu'il est ardu de se remettre sur les rails… il y a eu tant d'imprévus, tant de distractions. Où en étais-je ? Je ne sais plus, mais le crime que je viens de commettre – outre le plaisir procuré – m'inspire une pensée. Je trempe ma plume dans la flaque et relate les crimes qui m'ont conduit ici, au nom d'une protestation écrite avec…

… le sang des autres, parce que je savais que je devais la signer et la sceller avec le mien. Je viens prêcher au riche la religion de la crainte, puisque la religion de l'amour n'a aucun pouvoir sur son cœur.

Et la magie opère, les mots ravivant mon esprit. J'en étais resté à ma misère dans la rue et à l'indifférence des gens. Sur le papier renaît 1829, plus précisément le 10 mai, ce grand jour où j'ai décidé de frapper l'édifice social. J'évoque alors ce cabriolet, volé dans le seul but d'être arrêté. Incarcéré à la Force, j'y ai rencontré mes futurs complices dont Avril, qui m'a secondé dans mes crimes suivants. J'aurais pu les rendre audacieux, mais je les ai voulus crapuleux, à l'image de cette société.

N'en déplaisent à mes admirateurs et à mes détracteurs, je ne suis ni un Robin des Bois, ni un opposant de plus à Louis-Philippe. Mon idéal, c'est moi, envers et contre vous. Je n'ai mené qu'un combat, celui de me préserver de votre morale, de votre roi et de votre dieu. Voilà, c'est dit.

Je cesse d'écrire pour tremper à nouveau ma plume, lorsqu'une brise s'invite par la fenêtre. Un appel d'air, suivi d'une violente explosion, au loin.

44

4 janvier

« Serein » est sans doute l'adjectif qui caractérise le mieux Louis-Philippe.

Serein, du haut de ses soixante-deux ans.

Serein, en présence de son épouse et de leurs dix enfants.

Serein, même après l'attentat qui – il y a trois jours – a failli lui ôter la vie.

Le 1er janvier, peu après midi, sa parade a été interrompue par l'explosion de quatre barils de poudre, dissimulés sous le pont de l'Archevêché. De cette passerelle, il ne reste que trois piliers ancrés dans la Seine. Et des traces de sang séché sur les deux rives, celui des trente-trois blessés et des vingt-deux morts.

L'explosion surpuissante a propulsé la Saverne et son passager à une trentaine de mètres, jusqu'à l'île de la Cité. Le roi est resté inconscient une heure avant de se réveiller dans son lit, aux côtés de ses médecins. À nouveau épargné par le sort, Louis-Philippe a survécu avec un bras cassé et deux côtes fêlées.

Depuis, il se rétablit au palais entouré de ses proches et de ses ministres. Aujourd'hui encore,

Thiers, Guizot, Duchâtel et les autres sont venus témoigner leur soutien à celui que le Tout-Paris appelle désormais « le miraculé ». Enveloppé dans sa houppelande grise, Louis-Philippe s'enfonce dans son fauteuil et se tourne vers Gisquet.

— Des républicains, dites-vous ?

— Oui, sire. Ils ont été dénoncés par l'aubergiste chez lequel ils se terraient. Ils se réclament de Fieschi, lequel a manigancé son plan du fond de son cachot.

— Encore lui... nous aurions dû le faire exécuter dès la fin de son procès. C'est incroyable.

— Pas tant que cela, sire. Fieschi a toujours été animé par la haine.

— J'évoquais les assassinats, et non l'attentat.

— Ils sont pourtant liés, précise Guizot.

Le roi lui adresse un regard déconcerté sous ses paupières tombantes. Ses doigts boudinés grattent son plâtre, puis caressent l'accoudoir.

— Tuer des enfants pour semer le trouble et détourner notre attention... Ces gens n'ont rien de républicain, ce sont des monstres. J'ai eu tort d'ordonner la mobilisation de toutes les polices.

— Vous ne pouviez pas savoir, sire.

— J'aurais dû. Après tout, je suis le roi.

— Ils sont allés jusqu'à imiter les crimes de Lacenaire pour mieux nous duper. Aucun de nous, pas même vous, ne pouvait concevoir cela.

— Et qu'ont donné leurs interrogatoires ?

— Ils ont avoué avoir commis les crimes et placé les barils sur ordre de Fieschi.

— Cela signifie-t-il que Cataldi était innocent ?

— Non. Il a tué les trois premiers enfants, mais n'était qu'un exécutant à l'instar de Brasseux.

Fieschi nous a donné l'adresse du lieu où les victimes étaient... heu...

— Où ?

— Une cave dans le IIe. Nous y avons trouvé une autre tête, celle d'un garçonnet.

Choqués, les ministres échangent des murmures que Louis-Philippe, de la main, fait cesser. Richard, le coiffeur du roi, apparaît dans le salon, sa sacoche à la main. À la vue des ministres, il les salue et se retire. Louis-Philippe l'apostrophe :

— Restez donc, mon cher Richard.

— Je peux revenir plus tard, sire.

— Restez, répète-t-il fermement.

Le coiffeur revient aussitôt sur ses pas. Il a suffi d'un mot pour que ressurgisse l'autorité naturelle qui fait la force des Bourbons depuis Louis XIV. Richard pose sa sacoche sur la table en marbre, l'ouvre et en sort un toupet. Délicatement, il l'ajuste sur le crâne dégarni de Louis-Philippe. Amer, celui-ci s'adresse de nouveau à Gisquet :

— Suis-je à ce point détestable ?

— Pourquoi cette question ?

— Parce que l'on a tué des enfants à cause de moi.

— Pas à cause de vous, mais contre vous.

De son bras valide, le roi prend appui sur un accoudoir pour se lever. Richard se propose de l'aider. Il l'en dispense et se redresse, au grand dam de ses côtes. Il commente sa douleur d'une grimace. Ses ministres ont mal pour lui, certains même un peu trop. Aidé de sa canne, il traverse le salon dans une prestance qui fait oublier à tous sa convalescence. Il marche jusqu'à sa cheminée, se baisse pour saisir le tisonnier. Admiratifs, Gisquet et les autres le regardent allumer le feu.

— Si mes ennemis sont capables d'une telle barbarie, je me dois d'être impitoyable envers eux. Gisquet, faites exécuter Fieschi avant qu'il n'échafaude un autre plan.

— Bien, sire.

— Messieurs, cette nouvelle année sera placée sous le signe de la fermeté et je compte sur vous pour broyer les républicains. Par ailleurs, qu'en est-il de Lacenaire ?

— Il a regagné son cachot individuel. Depuis qu'il a tué son codétenu, les autres prisonniers refusent de le côtoyer.

— Ce Lacenaire ne changera jamais. Quand en serons-nous enfin débarrassés ?

— Dans quelques jours.

— Bien. Et ses *Mémoires* ?

— J'ai négocié leur future publication avec l'éditeur. Il attend votre aval concernant les rajouts de Bonnelier. Souhaitez-vous… ?

— Montrez-moi donc cela.

Gisquet fouille la poche de son gilet et en sort une enveloppe blanche. Louis-Philippe en extrait une page, qu'il lit à voix haute :

Je crains que les métaphysiciens et faiseurs de livres n'aient raison, lorsqu'ils disent : Il y a une voix secrète ! Dans le bruit de la vie, je ne l'ai point entendue, je l'ai niée ; pendant l'agitation du procès, je l'ai niée ; depuis ma condamnation à mort, je l'ai encore niée ; principalement à cause des conséquences que les causeurs affectent d'en tirer.

Mais voilà que depuis avant-hier, je m'endors moins dans le vin, je m'éveille plus promptement, les mots que j'ai dits dans le bavardage de la journée, je me les répète la nuit, et je ne trouve plus d'accord avec eux. Et maintenant, la tête sur le traversin, je me demande ce que cela signifie ; je cherche où j'en suis. Mon allure du jour me fait pitié, je sens une case dans ma tête qui sonne creux ; cela ne me fait pas peur, non ; mais cela me fait froid... cependant le poêle est bien chaud. Encore la voix secrète !

— Parfait, on croirait lire Lacenaire. Avec cette « voix secrète », il n'est plus qu'un lâche animé de remords.

— En effet, sourit Gisquet.

— Voilà qui rattrape votre erreur.

— Mon... mon erreur ?

— Celle d'avoir remplacé M. Allard.

— Il s'était révélé incompétent.

— Moins que M. Canler. Si celui-ci avait arrêté Fieschi à temps, il n'y aurait pas eu d'attentat en juillet, ni de « coupeur de têtes ».

— Ni l'explosion qui a failli vous tuer, ajoute Guizot.

Gisquet lui lance un regard glacial qui n'échappe à personne. Pas même à Richard, jusqu'ici captivé par le ciel enneigé.

— Certes, mais M. Canler a tout de même été plus vif que son prédécesseur.

— Je préfère un homme qui tarde à un qui se trompe. Informez-le que, malgré ses succès aux Halles et à l'abattoir, M. Allard reprendra demain la direction de la Sûreté.

— Bien…

— Et rendez ses *Mémoires* à Lacenaire, afin qu'il ne se doute de rien. À présent, messieurs, je vous demande de me laisser. J'attends M. Fontaine pour discuter avec lui de la reconstruction du pont.

Ses ministres le saluent et, un à un, désertent le salon. Voyant que Bignon demeure, Louis-Philippe lui demande :

— Eh bien ?

— Sire, j'entends votre fermeté à l'égard des républicains, mais ne craignez-vous pas qu'elle aggrave la situation ?

— Oui, mais je ne peux rester sans réagir.

— Sauf votre respect, peut-être serait-il temps de montrer des signes de souplesse afin d'apaiser les esprits.

— Me conseillez-vous de fuir face à l'adversité ? Je l'ai déjà fait durant la Terreur.

— Je ne voulais pas vous heurter.

— J'ai déjà déserté, je ne le ferai plus. Quand on a été, comme moi, un pauvre diable réduit à vivre à quarante sous par jour, on a toujours un couteau dans sa poche.

45

Le lendemain, sous la contrainte, Allard et Canler réintègrent la Sûreté. Revenus à leurs postes initiaux, ils assistent impuissants au durcissement du régime. Les « lois de septembre » étaient restrictives, celles votées dans la nuit sont implacables :

Exécution de tous les opposants incarcérés.

Arrestation de tout individu aux opinions républicaines.

Interdiction de la presse républicaine.

Dissolution des sociétés de secours mutuels.

Par ailleurs, le budget de la préfecture de police a été considérablement augmenté, atteignant 7 500 000 francs. Fort de ces nouvelles mesures, Louis-Philippe devient ainsi le tyran longtemps mythifié par ses ennemis. Et la nuit s'abat, muselant Paris et le pays tout entier.

46

8 janvier,
Conciergerie

— Lacenaire !

Je me réveille en sursaut, m'assois sur la banquette. Devant moi, dans la pénombre, Lebel et son nez plâtré. À l'entrée du cachot, Allard, Chabrol, deux brigadiers, mon avocat, Gabriel et Reffay de Lusignan, une bible entre les mains. Je comprends aussitôt.

— Oui, Lebel ?

— Vous allez être transféré à Bicêtre.

— Enfin ! Mais... qu'est-il arrivé à votre nez ?

— Cela ne vous regarde pas.

— Une mauvaise chute, sans doute.

Il n'ajoute rien, contenant sa haine. Sans doute son malaise en présence d'Allard, contre lequel il ne peut rien. Les voir tous deux réunis après ce coup de poing m'amuse considérablement. Je me redresse, m'enveloppe dans la couverture et marche jusqu'à la table, où je gratte une allumette. Étincelle, bougie et lumière éclairant l'assistance. Hormis Lebel, ils sont tous pâles.

— Allons, messieurs, ne faites pas cette tête. C'est moi qui vais faire le grand voyage.

— Le plus tôt sera le mieux, grogne Lebel.

— N'ayez crainte. Je suis plus pressé que vous de me voir gravir l'échafaud. Mon cher Avril est-il lui aussi de la partie ?

— Oui. Et maintenant, habillez-vous !

— Une fois n'est pas coutume, vous avez raison : cette couverture est indigne de moi.

Je la retire et, après l'avoir pliée délicatement, boutonne ma chemise. Silencieux, tous me regardent enfiler mon gilet, ma redingote, puis mes bottines. Cirées ? Hélas, non. J'attrape ma cravate, Lebel revient à la charge :

— Nul besoin de cravate dans la mort.

— Mon public m'attend, je me dois d'être élégant.

Je noue lentement ma cravate, jouant avec ses nerfs, puis m'examine dans le miroir. De l'index, j'ajuste ma boucle sur mon front. Fin prêt, j'approche de mon avocat.

— Maître, je vous fais mes excuses.

— Pourquoi ?

— Je suis un criminel indéfendable et ce, malgré votre talent oratoire. Je vous souhaite bien du succès avec vos prochains clients, mais méfiez-vous de la justice : elle varie selon les régimes.

Je me tourne vers ce brave Chabrol, peiné. Désormais, il pourra dire que son existence aura été traversée par l'intelligence. Et tant pis s'il ne s'agit pas de la sienne.

— Chabrol, votre naïveté me manquera. C'est une richesse, préservez-la.

— Heu… d'accord, m'sieu Lacenaire.

— Et vous, Gabriel, votre cuisine a enrichi ma vie d'une saveur qui me manque déjà.

— Vous aussi, vous m'manquez déjà.

Je me tourne à présent vers Reffay de Lusignan, dont les yeux sont emplis de larmes. Il me considère comme le ferait un père, celui qui m'aura tant manqué. Et voilà qu'à cause de lui, j'ai moi aussi le cœur lourd. Je me ressaisis – par pudeur ou orgueil, je ne sais pas – et lui pose la main sur l'épaule.

— Mon cher, je suis heureux et surpris de vous voir ici.

— Dès que M. Allard a su, il s'est empressé de me prévenir.

— C'était une noble intention. Sachez que cela a été un honneur d'être votre élève.

— Et moi, votre professeur. Voulez-vous…

Du regard, il me désigne sa bible. Cet homme est décidément incroyable. Jusqu'au bout, il aura espéré quelque repentance de ma part. Tel que je le connais, il est même capable de prier son dieu pour mon salut.

— Non, merci.

— Êtes-vous certain ?

— Ne gâchez pas notre amitié par une lecture vaine et, pardonnez-moi, ennuyeuse.

Déçu, il me serre dans une étreinte que ses mains rendent bouleversante. Je me libère puis me présente devant Allard. Le mois dernier, j'ai perçu dans ses yeux de l'empathie, mais aussi de la colère et de la déception. Cette fois, j'y vois du chagrin.

— Mon ami, j'ai appris pour votre réintégration. J'en suis ravi.

— Je n'ai guère eu le choix.

— Je l'imagine aisément... merci d'avoir prévenu mon ancien instituteur.

— Je savais que cela vous toucherait.

— Tout comme votre venue.

— Je me devais d'être là.

Nous nous fixons intensément. Une seconde de grâce, cristalline, comme j'en ai rarement connu. Pas assez pour avoir eu l'envie de mourir vieux. Un peu d'amitié, un peu d'amour, un peu de révolte, un peu d'écriture et c'est déjà la fin. Je réalise alors que je n'ai jamais réellement vécu et n'ai été qu'en vacances. Parfois pénibles, souvent agréables, toujours éphémères. Inutiles, donc.

Malgré moi, je serre Allard dans mes bras. Après hésitation, il répond à mon amitié et profite de notre accolade pour me chuchoter à l'oreille :

— Vous aviez raison, le tueur avait un tout autre mobile.

— Une cause. Croyez-vous en la République ?

— Oui, mais pas au point de lui sacrifier des enfants.

En retrait, Lebel tape du pied pour signifier son impatience. Nous nous décollons l'un de l'autre, dans une émotion dont aucun de nos témoins ne mesure l'intensité.

— Lebel, avant d'offrir mes poignets, puis-je clore mes *Mémoires* ?

— Nous avons déjà perdu assez de temps.

— Allez-y, me dit Allard.

Exaspéré, Lebel se plie à son autorité. Je salue l'intervention de mon ami et m'installe devant mon manuscrit, mon œuvre la plus viscérale, qui m'a finalement été rendue. Cela m'a surpris, avant de m'inquiéter. Ce geste, je n'y vois rien de bon.

À moins qu'Allard ait eu raison. Peut-être le roi a-t-il eu pitié de ma prose. Je consulte ma montre, la remets en poche, trempe ma plume et, dans un silence funèbre, écris pour la dernière fois de mon existence :

8 janvier 1836,
à la Conciergerie, 10 heures du soir

On vient me chercher pour Bicêtre. Demain, sans doute, ma tête tombera. Je suis forcé, malgré moi, d'interrompre ces Mémoires, *que je confie aux soins de mon éditeur. Le procès complète les révélations. Adieu à tous les êtres qui m'ont aimé et même à ceux qui me maudissent : ils en ont le droit.*

Et vous qui lirez ces Mémoires *où le sang suinte à chaque page, vous qui ne les lirez que quand le bourreau aura essuyé son triangle de fer que j'aurai rougi, oh ! gardez-moi quelque place dans votre souvenir... Adieu !*

NOTES DE L'AUTEUR

La phrase « Quand on a été, comme moi, un pauvre diable réduit à vivre à quarante sous par jour, on a toujours un couteau dans sa poche » est une citation véridique de Louis-Philippe, datée de 1843, entendue en présence de la reine Victoria.

Comme l'avait pressenti Lacenaire, ses *Mémoires* ont été falsifiés après sa mort afin d'en atténuer la portée. Bien que les circonstances soient ici romancées, des doutes persistent encore sur de nombreux passages, notamment quant à cette « voix secrète ».

Merci à Valentin et aux éditions 10/18 pour leur confiance, à François Guérif, Vincent Toledano et Caroline Lamoulie pour leur bienveillance, ainsi qu'à Rémy, Marianne, Frédéric, Anne-Sophie, Delphine, Sophie et Vincent pour leurs relectures.

10/18, une marque d'Univers Poche,
est un éditeur qui s'engage pour
la préservation de son environnement
et qui utilise du papier fabriqué à partir
de bois provenant de forêts gérées
de manière responsable.

Imprimé en France par **CPI**

N° d'impression : 3019397
Dépôt légal : janvier 2017
X06878/01